JOB INTERVIEW :
réussir les entretiens
de sélection en français et en anglais

COLLECTION MAJOR
DIRIGÉE PAR PASCAL GAUCHON
CODIRIGÉE PAR PHILIPPE LARUELLE

JOB INTERVIEW:

*réussir les entretiens
de sélection en français et en anglais*

par

Christel Diehl

*Professeur agrégé d'anglais
Diplômée de l'Institut Commercial de Nancy*

Presses Universitaires de France

ISBN 978-2-13-056746-2

Dépôt légal — 1re édition : 2008, mai
© Presses Universitaires de France, 2008
6, avenue Reille, 75014 Paris

Tous mes remerciements à Philippe Laruelle.
Once again...

Sommaire

Les entreprises françaises ont enfin compris qu'elles ne pourraient pas assurer leur développement sans s'entourer de collaborateurs aptes à converser ou négocier en anglais. Les universités prennent également conscience qu'à un niveau de compétences égal, il est préférable de recruter un étudiant qui maîtrise cet outil linguistique.

Dès lors, les tests de sélection en anglais se multiplient, qu'il s'agisse d'entretiens à part entière d'une certaine durée ou des fameuses cinq minutes de supplice pendant lesquelles le recruteur passe soudainement de la langue de Victor Hugo à celle de Shakespeare pour « cuisiner » un candidat.

J'ai eu envie d'écrire ce livre pour deux raisons :

— d'abord, j'ai mené de nombreux entretiens de sélection au cours de ma carrière, qu'il s'agisse de l'embauche de commerciaux quand j'étais cadre dans le secteur privé ou de la sélection d'étudiants en Master 2 et à l'entrée des grandes écoles de commerce au titre de mes fonctions actuelles. Il m'apparaît que, souvent, les maladresses commises pendant l'entretien tout comme les arguments qui font la différence entre un candidat de valeur qui sera retenu et un candidat de valeur qui sera écarté sont des paramètres qui pourraient être travaillés et améliorés très simplement en amont. Ce livre a donc pour première mission d'aider le lecteur à formuler un diagnostic sur sa personnalité et ses compétences et à se préparer efficacement aux entretiens ;

— d'autre part, assumant depuis plus de dix ans la mission d'aider les étudiants français à progresser en anglais, j'ai pu observer quelles erreurs étaient les plus fréquemment commises et quels sujets de conversation étaient les moins bien préparés par les candidats. Ce livre a donc été conçu pour pallier la majeure partie des écueils linguistiques de l'entretien en anglais.

Avant de vous laisser à la lecture de cet ouvrage, je me permets de vous livrer une maxime à laquelle il me semble utile de penser avant d'aborder un entretien, qu'il soit en anglais ou en français : *« It's a game : have fun »* : l'entretien est un jeu ; maîtrisez-le, menez-le, savourez-le comme tel et ne laissez pas à un jeu le pouvoir de vous déstabiliser...

1

Vocabulaire spécifique à l'entretien

Bien évidemment, le but du jeu n'est pas d'apprendre tous les mots contenus dans les glossaires qui suivent. Vous y trouverez en revanche la traduction de nombreuses expressions qui vous permettront de préciser et d'étoffer votre discours.

Il est **vivement conseillé** de commencer par parcourir toute la liste de vocabulaire anglais/français et d'y surligner les expressions correspondant à votre personnalité ou aux activités que vous souhaitez mettre en avant pendant l'entretien. Cela vous permettra notamment de trouver des idées auxquelles vous n'auriez pas pensé d'emblée.

Ensuite, vous pourrez procéder de la même façon avec la liste français/anglais. Vous pourrez également vous servir de cette seconde liste en cachant la partie droite pour vérifier ce que vous avez mémorisé précédemment.

NB. — Le parti a été pris de formuler la majeure partie des expressions à la première personne du singulier, puisque c'est elle qui sera le plus souvent utilisée lors d'un entretien.

I. Anglais/français

1. Adjectifs

able (to)	capable (de)
able to prioritize	capable d'établir des priorités
able to remove myself from the emotion of a decision	capable de prendre une décision sans état d'âme
able to see the big picture	capable de saisir l'essentiel
absent-minded	étourdi
abusive	abusif, brutal
academic	universitaire
accurate	précis
active	actif
adaptable	adaptable
aggressive	agressif
altruistic	altruiste
ambitious	ambitieux
angry (with)	fâché (contre)
annoyed (by)	agacé (par)
appreciative (of)	qui apprécie
appropriate	approprié
argument	argument/dispute
articulate	qui s'exprime avec aisance
ashamed (of)	honteux (de)
at ease	à l'aise
average	moyen
aware (of)	au courant (de)
biased	partial
blunt	brusque
boastful	vantard
bold	audacieux, téméraire
bored	qui s'ennuie
boring	ennuyeux
bright	intelligent
broad	large, étendu
broad-minded	à l'esprit ouvert
calm	calme
candid	franc

caring	bienveillant
cautious	prudent
challenging	stimulant, à responsabilités
charming	charmant
cheerful	joyeux
clever	intelligent
collaborative	coopératif
committed (to)	dévoué (à), impliqué (dans)
competent	compétent
composed	posé
comprehensive	complet, exhaustif
conceited	vaniteux
conciliatory	conciliant
conforming	conformiste
congenial	agréable, sympathique
conscientious	consciencieux
considerate	prévenant
consistent	logique
conversant with	à l'aise en, maîtrisant
cool-headed	sachant garder la tête froide
courteous	courtois
creative	créatif
credentialed	accrédité
critical of others	critique vis-à-vis des autres
cross-functional	pluridisciplinaire
current	actuel
demanding	exigeant
dependable	fiable
detail-oriented	méticuleux
determined	déterminé
devoted	dévoué
diligent	appliqué
diplomatic	diplomate
disappointed (with)	déçu (par)
discreet	discret
discriminatory	discriminatoire
disorganised	manquant d'organisation
down-to-earth	qui a les pieds sur terre
driven	motivé
dull	terne
dynamic	dynamique
easily hurt	susceptible
easygoing	facile à vivre
economy-minded	économe

efficient	efficace
empathetic (towards)	faisant preuve d'empathie (à l'égard de)
energetic	énergique
enjoyable	appréciable
enrolled in a course	inscrit à un cours
enterprising	ayant l'esprit d'initiative
enthusiastic	enthousiaste
entitled to	ayant droit à
entry-level	de début de carrière
exacting	exigeant
excited	enthousiaste
experienced (in)	expérimenté (en)
extensive	étendu, large
extra-curricular	extra-universitaire
fair	équitable, juste
fair-minded	soucieux de justice
familiar with	connaissant, maîtrisant
firm	ferme
flexible	flexible
fluent in English	parlant couramment l'anglais
focused on my work	concentré sur mon travail
founding	fondateur
friendly	amical
frustrated	frustré
frustrating	frustrant
fulfilled	épanoui
fulfilling	épanouissant
full-time	à temps plein
fussy	pointilleux
generous	généreux
genial	affable, cordial
genuine	véritable, sincère
gifted (for)	doué (pour)
giving	généreux
goal-oriented	concentré sur ses objectifs
gregarious	grégaire, aimant la compagnie des autres
hardworking	travailleur
hazardous	dangereux
helpful	serviable
honest	honnête
hostile	hostile
humble	modeste
idealistic	idéaliste

ill-at-ease	mal à l'aise
imaginative	imaginatif
impatient	impatient
impulsive	impulsif
in charge (of)	responsable (de)
indecisive	indécis
in face of	confronté à
inhibited	inhibé
innovative	innovant, créatif
insensitive	insensible
insightful	perspicace
intelligent	intelligent
interested (in)	intéressé (par)
introverted	introverti
involved in several projects	impliqué dans plusieurs projets
irrelevant (to)	qui n'a pas de rapport (avec)
irritating	irritant
IT literate	bon en informatique
keen on	fan de
keyed up	tendu
knowledgeable (in)	ayant des connaissances (en)
late (for)	en retard (à)
lazy	paresseux
level-headed	qui garde son sang-froid
likely to	susceptible de
listless	mou, indifférent
lively	vivant, plein d'entrain
logical	logique
loyal	loyal
managerial	de direction
mature for my age	mûr pour mon âge
methodical	méthodique
meticulous	méticuleux
moody	lunatique, versatile
motivated	motivé
narrow-minded	étroit d'esprit
nervous	fébrile
numerate	ayant le sens des chiffres
obedient	obéissant
occupational	professionnel
open-minded	ouvert
optimistic	optimiste
orderly	ordonné
organized	organisé

outgoing	sociable
outstanding	remarquable, excellent
overly emotional	trop émotif
overstaffed	en sureffectif
part-time	à temps partiel
patient	patient
people-oriented	qui s'intéresse aux autres
persevering	persévérant
persistent	persévérant
personable	qui présente bien
pessimistic	pessimiste
planned	planifié
pleasant	plaisant
polite	poli
positive	positif
practical	qui a l'esprit pratique
pragamatic	pragmatique
prejudiced	partial
prestigious	prestigieux
proactive	proactif
productive	productif
proficient in	compétent en
proud (of)	fier (de)
proven	reconnu
punctual	ponctuel
quality-minded	attentif à la qualité
quiet	calme
realistic	réaliste
relevant	pertinent
relevant (to)	en rapport (avec)
reliable	fiable
reserved	réservé
resourceful	plein de ressources
responsible (for)	responsable (de)
responsible (to)	responsable (vis-à-vis de)
restless	agité, remuant
rewarding	gratifiant
rude (to)	impoli (envers)
scheduled	programmé, planifié
secretive	secret
self-confident	ayant de l'assurance
self-conscious	gêné
self-disciplined	autodiscipliné
selfish	égoïste

self-motivated	capable de s'automotiver
sensible	raisonnable
sensitive	sensible
short-listed	présélectionné
shy	timide
sincere	sincère
skeptical	sceptique
skilled (in)	compétent (en)
slow-paced	lent
sociable	sociable
specialized (in)	spécialisé (dans)
specific	spécifique
spontaneous	spontané
stable	stable
steady	stable
stressed out	stressé
stressful	stressant
successful	qui réussit
supportive	qui apporte son soutien
sympathetic	compatissant
tactful	plein de tact
tactless	maladroit, manquant de tact
tenacious	tenace
thorough	approfondi, complet
thoughtful	réfléchi, sérieux
tidy	ordonné
top-level	de haut niveau
top-notch	super
touchy	susceptible
trustworthy	digne de confiance
truthful	franc
uncompromising	peu enclin aux compromis
unreliable	peu fiable
untidy	désordonné
upright	droit, honnête
upset	bouleversé
venturesome	ayant l'esprit d'entreprise
versatile	polyvalent
vocational	professionnel
wary	prudent, circonspect
wary (of)	méfiant (au sujet de)
well-balanced	équilibré
well-organized	organisé
well-qualified	qualifié

well-rounded	complet, polygraphe
well-trained	bien formé
willing (to)	disposé (à)
willing to learn new things	désireux d'apprendre de nouvelles choses
worried (about)	préoccupé (par)

2. Noms

abusive discharge	licenciement abusif
academic standing	classement universitaire
accomplishment	réalisation
achievement	réalisation, réussite
A-levels *(UK)*	baccalauréat
allowance	allocation, indemnité
analytical mind	esprit d'analyse
anxiety	anxiété
apprentice	apprenti
apprenticeship	apprentissage
approach	approche
appropriate vocational skills	compétences professionnelles appropriées
argument	argument
asset	atout
assignment	mission, devoir, travail
association of student activities	bureau des élèves
average	moyenne
(above) average	au-dessus de la moyenne
(below) average	en dessous de la moyenne
award	distinction, prix
Bachelor of Arts (BA)	*approx.* licence de lettres
Bachelor of Science (BS ou BSc)	*approx.* licence scientifique
background	acquis, formation
basic knowledge of English	notions d'anglais
benefit	avantage, allocation
bias	préjugé
blunder	gaffe
Board of Directors (BD)	Conseil d'Administration
bonus	prime
(under) budget	dans les limites du budget imparti
business acumen	sens des affaires
camp counselor	moniteur de colonie
capacity for teamwork	aptitude à travailler en équipe
career	carrière
career pattern	plan de carrière
case study	étude de cas
chain of command	voie hiérarchique
character	caractère
charity	œuvre caritative
chore	corvée
class average	moyenne de la classe

class rank	classement
class standing	classement
classified ad	petite annonce
classmate	condisciple
colleague	collègue
collective bargaining agreement	convention collective
college	université
commitment	dévouement
commitment (to)	motivation, implication (dans)
commitment to my work	investissement dans mon travail
company car	voiture de fonction
compensation	dédommagement, indemnité
competitor	concurrent
computer literacy	compétences en informatique
concentration	concentration / matière principale (d'un MBA)
concrete example	exemple concret
content	contenu
conversational knowledge of English	niveau permettant de converser en anglais
corporate values	valeurs de l'entreprise
course	cours, études
cover letter	lettre de candidature
credentials	titres, qualifications
credit	mérite, crédit / unité de valeur
criteria	critères
criterion	critère
curriculum	cursus universitaire, programme d'études
CV	CV
day off	jour de congé
decisiveness	capacité à décider
degree	diplôme
diploma	diplôme (document)
direction	direction, hiérarchie
disability	handicap
disabled person	handicapé
dismissal	licenciement (pour faute)
dispute	conflit
dissertation	mémoire
downsizing	diminution des effectifs
dreamer	rêveur
duties	tâches, responsabilités
earnings	rémunération
empathy	empathie

employment agency	agence pour l'emploi
employment dispute	conflit salarial
energy level	degré de dynamisme
essay	dissertation
executive	cadre
expectations	attentes
expense account	note de frais
external training course	stage de formation externe
facilities	équipements, installations
factual information	informations factuelles
feeling	sentiment
first name	prénom
flagship product	produit phare
flaw	défaut
flexibility	flexibilité
flexitime	horaire à la carte
follow-up	suivi
fringe benefits	avantages en nature
fringes	avantages divers
gender bias	sexisme
goal achievement	réalisation d'objectifs
go-getter	battant
good command of English	bonnes connaissances en anglais
good communicator	bon communicant
good leader	leader
good listener	personne ayant de bonnes capacités d'écoute
Grade Point Average (GPA)	moyenne générale
grade	note
graduate	diplômé
grievance	grief, conflit
gross wage	salaire brut
harassment	harcèlement
head	chef
headquarters (HQ)	siège social
head hunter	chasseur de têtes
hierarchy	hiérarchie
high degree of responsibility	haut niveau de responsabilité
high energy level	grand dynamisme
high school (US)	lycée
high school diploma (US)	baccalauréat
Higher Education	études supérieures
holiday pay	congés payés
(with) honours (Hon.)	(avec) mention

idealist	idéaliste
imagination	imagination
incentive	stimulation
increment	indice (salarial)
information gathering	collecte d'informations
initiative	initiative
injury	préjudice, blessure
integrity	intégrité
intelligence	intelligence
intern *(US)*	stagiaire
internal training course	stage de formation interne
internship *(US)*	stage
interpersonal skills	relationnel
introvert	introverti
IT literacy	aptitudes en informatique
Job Centre	agence pour l'emploi
job definition	définition de poste
job description	description de poste
job hunting	recherche d'emploi
job interview	entretien d'embauche
job requirements	prérequis du poste
job sharing	partage du temps de travail
job title	titre, fonction
job-seeker	demandeur d'emploi
junior enterprise	junior entreprise
junior executive	cadre moyen
layoff *(US)*	licenciement économique
leadership	capacités de leader
lecture	conférence
letter of application	lettre de candidature
lie	mensonge
listening skills	capacité d'écoute
loanback pension	retraite par capitalisation
logic	logique
luncheon voucher	chèque-déjeuner
major	matière principale
Master of Arts (MA)	*approx.* Master de lettres
Master of Science (MS ou MSc)	*approx.* Master scientifique
maternity leave	congé maternité
means	moyen
medical condition	état de santé nécessitant des soins
mission statement	charte de l'entreprise
multicultural environment	environnement multiculturel
natural negotiator	négociateur né

net wage	salaire net
night classes	cours du soir
notice of dismissal	préavis de licenciement
numeracy	aptitude à manier les chiffres
occupation	profession
occupational accident	accident du travail
occupational disease	maladie professionnelle
occupational hazard	risque du métier
official channel	voie hiérarchique
opposite number	homologue
optimist	optimiste
organisation chart	organigramme
organizational skills	capacités d'organisation
pace	rythme
package	rémunération et avantages en nature
parental leave	congé parental
pay claim	revendication salariale
pay slip	bulletin de paye
payroll	liste du personnel
pension fund	caisse de retraite
pension scheme	plan de retraite
perfectionist	perfectionniste
performance review	revue de performance
perk	avantage en nature
person in charge	responsable
personal details	renseignements personnels
personnel (US)	personnel
pessimist	pessimiste
PhD	doctorat
pitch	argumentaire de vente
placement	stage
planning skills	capacités de prévision, d'organisation
position	poste, fonction
potential	potentiel
pregnancy	grossesse
premises	locaux
presence of mind	présence d'esprit
pressure	pression
prior experience	expérience antérieure
probation	période d'essai
problem-solver	personne apte à résoudre des problèmes
procrastination	tendance à reporter à plus tard
professional body	organisme professionnel
profit-sharing	intéressement aux bénéfices

project	projet
public relations (PR)	relations publiques
quality	qualité
quick learner	personne qui apprend vite
rank	classement
realist	réaliste
recipient of a scholarship	titulaire d'une bourse
record	historique, dossier
redundancy *(UK)*	licenciement économique
reference letter	lettre de recommandation
remit	attributions, missions
replacement	remplaçant, remplacement
résumé *(US)*	CV
role	fonctions (d'un salarié)
safety regulations	règles de sécurité
salary increase	augmentation de salaire
scale of pay	échelle des salaires
scholarship	bourse
scholastic results	résultats scolaires
seasonal work	travail saisonnier
self-confidence	confiance en soi
self-knowledge	connaissance de soi
senior executive	cadre supérieur
seniority	ancienneté
sense of humor	sens de l'humour
severance pay	indemnité de licenciement
sex discrimination	discrimination sexuelle
sexual harassment	harcèlement sexuel
shift work	travail par équipes
shop steward *(UK)*	délégué du personnel
shortcoming	défaut
sick leave	congé maladie
sickness benefit	indemnités journalières
situations vacant	offres d'emploi
skill	compétence
skilled worker	ouvrier qualifié
small/medium-sized business (SME)	PME
social coverage	couverture sociale
society	association
sound education	formation solide
staff	personnel
staff turnover	turnover, renouvellement du personnel
state of mind	état d'esprit
stay	séjour

step	étape
student association	association étudiante
summer job	job d'été
supervisor	supérieur hiérarchique
supervisory skills	aptitude à diriger
surname	nom de famille
task	tâche
team player	personne ayant l'esprit d'équipe
teleworking	télétravail
temp	intérimaire
testimonial	témoignage
thesis	thèse
title of job	titre, intitulé d'un poste
trade union	syndicat
trainee	stagiaire
training	formation
trial	essai
trial period	période d'essai
troubleshooter	médiateur
trust	confiance
tuition	frais de scolarité
turnover	chiffre d'affaire
unemployment	chômage
unemployment benefit	allocations de chômage
unfair dismissal	licenciement abusif
union activity	activité syndicale
union representative	délégué syndical
university	université
vacancy	poste vacant
vocational training	formation professionnelle
volunteer	bénévole
volunteer work	bénévolat
wage dispute	conflit salarial
wage increase	hausse de salaire
white lie	pieux mensonge
willingness	volonté, disposition d'esprit
willingness to accept responsibility	volonté d'accepter des responsabilités
work ethic	éthique du travail, déontologie (voir p. 124, question 23)
work experience	expérience professionnelle
work load	charge de travail
work permit	permis de travail
work placement *(UK)*	stage
working day	jour ouvrable

working hours	heures de travail
working knowledge of English	connaissances de base en anglais
workplace	lieu de travail
writing skills (good, superior)	aptitude à l'expression écrite (bonne, excellente)
wrongful discharge	licenciement abusif

3. Verbes

accommodate	rendre service à, être obligeant envers
achieve goals	atteindre des objectifs
act	agir
act accordingly	agir en conséquence
act on impulse	agir impulsivement
adapt to the situation	s'adapter à la situation
address a problem	aborder un problème
address someone	s'adresser à quelqu'un
aim (to)	avoir pour but (de)
aim to please	avoir pour but de faire plaisir
analyse	analyser
apply	appliquer
apply for a job	postuler à un emploi
appoint	nommer
assess	évaluer
assure the follow-up (of)	assurer le suivi (de)
attend	assister à
author an article	être l'auteur d'un article
avoid	éviter
award	attribuer, décerner
back down in an argument	battre en retraite dans une dispute
back up	appuyer, étayer
be promoted to a position	être promu à un poste
be put out	être déconcerté
benefit (from)	bénéficier (de)
brainstorm with a group	faire un brainstorming avec un groupe
carry out	effectuer
chair a meeting	conduire une réunion
challenge	défier
cheer people up	dérider les gens
collect	collectionner
commit myself to	m'impliquer dans
conceive	concevoir, mettre au point
conduct a study	faire une étude
congratulate someone (on)	féliciter quelqu'un (pour)
contribute (to)	contribuer (à)
contribute something	apporter quelque chose
coordinate	coordonner
cope	s'en sortir
cope with pressure	surmonter la pression
counter others' arguments	contrer les arguments des autres

dedicate myself to	me consacrer à
delegate	déléguer
demand (from)	exiger (de)
demonstrate initiative	faire preuve d'initiative
design	concevoir, mettre au point
disclose	divulguer
dislike	ne pas aimer
distrust	ne pas faire confiance à
draft a report	rédiger un rapport
endure	subir, endurer
enforce	faire appliquer
engage	engager
enhance	améliorer, mettre en valeur
enjoy (+ ing)	aimer
enjoy being at the centre of the action	aimer être au centre de l'action
enjoy working	aimer travailler
ensure	garantir, faire en sorte
entrust someone with something	confier quelque chose à quelqu'un
express displeasure	exprimer sa désapprobation
feel	ressentir, se sentir
feel comfortable around people	se sentir à l'aise avec les gens
feel guilty	se sentir coupable
feel hurt	être blessé
fill a position	pourvoir un poste
find it hard to	trouver difficile de
fire	renvoyer, virer
fit the job	correspondre au profil du poste
fix my weaknesses	corriger mes défauts
fix a problem	résoudre un problème
follow instructions	suivre des instructions
fund	financer
gain attention	obtenir l'attention
gain experience (through)	acquérir de l'expérience (par le biais de)
gather information	rassembler des informations
get angry	se mettre en colère
get on well with others	bien s'entendre avec les autres
get the ball rolling	lancer la conversation / faire avancer les choses
give a lecture	donner une conférence
give a presentation	faire une présentation
give praise	faire des compliments
go badly	mal se passer
go the extra mile to	fournir un effort supplémentaire pour

go well	bien se passer
graduate from	être diplômé de
handle change	gérer le changement
handle responsibilities	assumer des responsabilités
have… years of experience (in)	avoir... années d'expérience (en)
have a critical mind	avoir l'esprit critique
have a sound education	avoir une formation solide
have good interpersonal skills	avoir un bon relationnel
hesitate (to)	hésiter (à)
hire	embaucher
honour my commitments	honorer mes engagements
implement	mettre en place
improve	améliorer
improvise	improviser
initiate	initier, mettre en place
interpret the facts	interpréter les faits
involve	impliquer
keep a balance between	garder un équilibre entre
keep going	aller de l'avant
keep other people's secrets	garder les secrets des autres
keep things to myself	garder les choses pour moi
keep up morale	garder le moral
know how to comfort others	savoir réconforter les autres
know what I am getting into	savoir dans quoi je mets les pieds
land a job	décrocher un poste
launch	lancer
learn from my mistakes	tirer les enseignements de mes erreurs
let things get on top of me	me laisser submerger
listen to others	écouter les autres
lose patience	perdre patience
major in a subject	se spécialiser dans une matière
make a decision	prendre une décision
make a speech	faire un discours
make an oral presentation	faire une présentation orale
make friends easily	se faire des amis facilement
make full use of	mettre à profit
make insightful remarks	faire des remarques perspicaces
make sure that	faire en sorte que
make up my mind	me décider
market	commercialiser
match reality	correspondre à la réalité
maximize	maximiser
meet objectives	atteindre des objectifs
meet the needs of	correspondre aux besoins de

move into a position	accéder à un poste
multitask	effectuer simultanément plusieurs tâches
overcome setbacks	surmonter les obstacles
participate (in)	participer (à)
pass	réussir
pass on tasks	déléguer
perform a task	effectuer une tâche
plan (to)	projeter (de)
praise	faire l'éloge de
prefer variety to routine	préférer la variété à la routine
prioritize	établir des priorités
procrastinate	reporter à plus tard
promote	promouvoir
provide	fournir
put forward	mettre en avant
put others at ease	mettre les autres à l'aise
raise funds	lever des fonds
rack up experience	engranger de l'expérience
rank	se classer
rate	évaluer
recruit	recruter
reprimand	réprimander
request	exiger
resign (from)	démissionner (de)
reveal little about myself	révéler peu de choses sur moi-même
round out	parfaire
run	diriger
save	économiser
schedule my time	planifier mon temps
screen	trier
set goals	fixer des objectifs
set up	mettre en place
share ideas with others	partager des idées avec les autres
shortlist	présélectionner, retenir
shrug something off	ne pas tenir compte de quelque chose
socialise	rencontrer, fréquenter des gens
solve problems	résoudre des problèmes
stay	séjourner
strenghten	renforcer
suffer (from)	souffrir (de)
supervise	superviser
take an interest in	s'intéresser à
take care of	s'occuper de
take charge of	prendre en charge

take on	embaucher
take pride in	tirer de la fierté de
take steps to correct a weakness	prendre des mesures pour corriger un défaut
take the corrective action to fix	prendre les mesures nécessaires pour remédier à
teach a course	donner un cours
tell a lie	dire un mensonge
tell the truth	dire la vérité
temp	faire de l'intérim
tend to	avoir tendance à
think on my feet	être réactif et pragmatique
think out loud	penser tout haut
think things through	examiner les choses en détail
think up new ways of doing things	imaginer de nouvelles façons de faire les choses
thrive (on)	être à l'aise (en)
train	former
transfer	muter
trust	faire confiance à
turn around a negative environment	tourner à son avantage un environnement négatif
turn into	se transformer en
undertake	entreprendre
unwind	se détendre
update	actualiser
upset	bouleverser
weigh up	peser
weigh up the pros and cons	peser le pour et le contre
wonder	se demander
work independently	travailler de façon indépendante

II. Français/anglais

1. Adjectifs

à l'aise	at ease
à l'aise en	conversant with
à l'esprit ouvert	broad-minded
à temps partiel	part-time
à temps plein	full-time
abusif	abusive
accrédité	credentialed
actif	active
actuel	current
adaptable	adaptable
affable	genial
agacé (par)	annoyed (by)
agité	restless
agréable	congenial
agressif	aggressive
altruiste	altruistic
ambitieux	ambitious
amical	friendly
appliqué	diligent
appréciable	enjoyable
approfondi	thorough
approprié	appropriate
attentif à la qualité	quality-minded
au courant (de)	aware (of)
audacieux	bold
autodiscipliné	self-disciplined
ayant de la prestance	personable
ayant droit à	entitled to
ayant les pieds sur terre	down-to-earth
ayant l'esprit d'entreprise	venturesome
ayant l'esprit d'initiative	enterprising
ayant l'esprit pratique	practical
bien formé	well-trained
bienveillant	caring
bon (en)	good (at)
bon en informatique	IT literate
bouleversé	upset

brusque	blunt
calme	calm, quiet
capable (de)	able (to)
capable de prendre une décision sans état d'âme	able to remove myself from the emotion of a decision
capable de saisir l'essentiel	able to see the big picture in a situation
capable de s'automotiver	self-motivated
capable d'établir des priorités	able to prioritize
charmant	charming
compatissant	sympathetic
compétent	competent
compétent en	proficient in, skilled in
complet	comprehensive
concentré sur mon travail	focused on my work
concentré sur les objectifs	goal-oriented
conciliant	conciliatory
concret	concrete
conformiste	conforming
connaissant, maîtrisant	familiar with
consciencieux	conscientious
coopératif	collaborative
couronné de succès	successful
courtois	courteous
créatif	creative
critique vis-à-vis des autres	critical of others
dangereux	hazardous
de début de carrière	entry-level
de direction	managerial
de haut niveau	top-level
déçu (par)	disappointed (with)
désireux d'apporter son soutien	supportive
désireux d'apprendre de nouvelles choses	willing to learn new things
désordonné	untidy
déterminé	determined
dévoué (à)	committed (to), devoted (to)
digne de confiance	trustworthy
diplomate	diplomatic
discret	discreet
discriminatoire	discriminatory
disposé (à)	willing (to)
doué	gifted
doué pour les chiffres	numerate
dynamique	dynamic

économe	economy-minded
efficace	efficient
égoïste	selfish
en rapport avec	relevant to
en retard (à)	late (for)
en sureffectif	overstaffed
énergique	energetic
ennuyeux	boring
enthousiaste	enthusiastic, excited
épanoui	fulfilled
épanouissant	fulfilling
équilibré	well-balanced
équitable	fair
étendu	broad, extensive
étourdi	absent-minded
étroit d'esprit	narrow-minded
exhaustif	comprehensive
exigeant	demanding, exacting
expérimenté (en)	experienced (in)
extra-universitaire	extra-curricular
fâché (contre)	angry (with)
facile à vivre	easygoing
faisant preuve d'empathie	empathetic
fan de	keen on
fébrile	nervous
ferme	firm
fiable	dependable, reliable
fier (de)	proud (of)
flexible	flexible
fondateur	founding
franc	candid, truthful
frustrant	frustrating
frustré	frustrated
gêné	self-conscious
généreux	generous, giving
gratifiant	rewarding
grégaire	gregarious
honnête	honest
honteux (de)	ashamed (of)
hostile	hostile
idéaliste	idealistic
imaginatif	imaginative
impatient	impatient
impliqué (dans)	committed (to)

impliqué dans plusieurs projets	involved in several projects
impoli (envers)	rude (to)
impulsif	impulsive
indécis	indecisive
inhibé	inhibited
inné	inborn, innate
innovant	innovative
inscrit à un cours	enrolled in a course
insensible	insensitive
intelligent	bright, clever, intelligent
intéressé (par)	interested (in)
introverti	introverted
irritant	irritating
joyeux	cheerful
juste	fair
lent	slow-paced
logique	consistent, logical
loyal	loyal
lunatique	moody
mal à l'aise	ill-at-ease, awkward
maladroit	awkward
manquant de tact	tactless
manquant d'organisation	disorganised
méfiant (au sujet de)	wary (of)
méthodique	methodical
méticuleux	meticulous, detail-oriented
modeste	humble
motivé	driven, motivated
mou	listless
mûr pour mon âge	mature for my age
obéissant	obedient
optimiste	optimistic
ordonné	orderly, tidy
organisé	organized
ouvert	open-minded
pragmatique	pragamatic
paresseux	lazy
parlant couramment l'anglais	fluent in English
partial	biased, prejudiced
(être) passionné de	have a passion for
patient	patient
persévérant	persevering, persistent
perspicace	insightful
pertinent	relevant

pessimiste	pessimistic
peu fiable	unreliable
plaisant	pleasant
planifié	planned, scheduled
plein de ressources	resourceful
plein de tact	tactful
pluridisciplinaire	cross-functional
pointilleux	fussy
poli	polite
polyvalent	versatile
ponctuel	punctual
posé	composed
positif	positive
précis	accurate
préoccupé (par)	worried (about)
présélectionné	short-listed
prestigieux	prestigious
prêt (à)	willing (to)
prévenant	considerate
proactif	proactive
productif	productive
professionnel	occupational, vocational
programmé	scheduled
prudent	cautious, wary
qualifié	well-qualified
qui s'exprime avec aisance	articulate
qui s'intéresse aux autres	people-oriented
raisonnable	sensible
réaliste	realistic
reconnu	proven
réfléchi	thoughtful
remarquable	outstanding
réservé	reserved
responsable	responsible
responsable (de)	in charge (of), responsible (for)
responsable (vis-à-vis de)	responsible (to)
rigide	uncompromising
sachant garder la tête froide	cool-headed
sachant garder son sang-froid	level-headed
sceptique	skeptical
secret	secretive
sensible	sensitive
sérieux	thoughtful
serviable	helpful

sincère	sincere
sociable	outgoing, sociable
soucieux de justice	fair-minded
soucieux du détail	detail-oriented
spécialisé (dans)	specialized (in)
spécifique	specific
spontané	spontaneous
stable	stable, steady
stimulant	challenging
stressant	stressful
stressé	stressed out
sûr de soi	self-confident
susceptible	easily hurt, touchy
susceptible de	likely to
sympathique	congenial
tenace	tenacious
tendu	tense, keyed up
terne	dull
timide	shy
travailleur	hardworking
trop émotif	overly emotional
universitaire	academic
vaniteux	conceited
vantard	boastful
véritable	genuine
vivant	lively

2. Noms

absentéisme	absenteeism
accident du travail	occupational accident
activité syndicale	union activity
agence pour l'emploi	employment agency
allocation	allowance, benefit
allocations de chômage	unemployment benefit
ancienneté	seniority
anxiété	anxiety
apprenti	apprentice
apprentissage	apprenticeship
approche	approach
aptitude à diriger	supervisory skills
aptitude à travailler en équipe	capacity for teamwork
argument	argument
association étudiante	student association
atout	asset
attentes	expectations
augmentation de salaire	salary increase
avantage	benefit
avantage en nature	perk, fringe benefit
avantages divers	fringes
baccalauréat	A-levels *(UK)*, high school diploma *(US)*
battant	go-getter
bénévolat	volunteer work
bénévole	volunteer
bon communicant	good communicator
bourse	scholarship
bulletin de paye	pay slip
bureau des élèves	association of student activities
cadre	executive
cadre moyen	junior executive
cadre supérieur	senior executive
caisse de retraite	pension fund
capacité	ability
capacité à entreprendre seul	ability to be a « self-starter »
capacité à gérer des conflits	ability to handle conflict
capacité à surmonter les échecs	ability to cope with failures
capacités de communication	ability to communicate
capacités de leader	ability to lead, leadership
capacités de prévision	planning skills
capacités d'expression écrite	writing skills

capacités d'organisation	organizational skills
caractère	character
carrière	career
charge de travail	work load
charte de l'entreprise	mission statement
chasseur de têtes	head hunter
chef	head
chèque-déjeuner	luncheon voucher
chiffre d'affaire	turnover
chômage	unemployment
classement	class standing, rank
classement universitaire	academic standing
collecte d'informations	information gathering
collègue	colleague, co-worker
compétence	skill
compétences en informatique	computer literacy
compétences professionnelles appropriées	appropriate vocational skills
concurrent	competitor
condisciple	classmate
conférence	lecture
confiance	trust
confiance en soi	self-confidence
conflit	dispute
conflit salarial	employment dispute
congé maladie	sick leave
congé maternité	maternity leave
congé parental	parental leave
congés payés	holiday pay
connaissances	knowledge
connaissances de base en anglais	working knowledge of English
connaissance de soi	self-knowledge
contenu	content
convention collective	collective bargaining agreement
corvée	chore
couverture sociale	social coverage
critère	criterion
critères	criteria
cursus	curriculum, programme of studies
CV	CV, résumé *(US)*
début	commencement
dédommagement	compensation
défaut	flaw, shortcoming
définition de poste	job definition

délégué du personnel	shop steward *(UK)*
délégué syndical	union representative
demandeur d'emploi	job-seeker
description de poste	job description
dévouement	commitment
diminution des effectifs	downsizing
diplômé	graduate
diplôme	degree
diplôme (document)	diploma
direction	direction, management
discrimination sexuelle	sex discrimination
dissertation	essay
distinction	award
doctorat	PhD, doctorate
donner des cours particuliers de... à quelqu'un	tutor someone in…
échelle des salaires	scale of pay
empathie	empathy
entretien d'embauche	job interview
environnement multiculturel	multicultural environment
esprit d'analyse	analytical mind
essai	trial
étape	step
état de santé nécessitant des soins	medical condition
état d'esprit	state of mind
étude de cas	case study
études	studies, course
expérience professionnelle	work experience
flexibilité	flexibility
fonction (titre)	job title
fonctions (attributions)	role
formation	education
formation professionnelle	vocational training
formation solide	sound education
gaffe	blunder
gens	people
grand dynamisme	high energy level
grief	grievance
grossesse	pregnancy
handicap	disability
handicapé	disabled person
harcèlement	harassment
harcèlement sexuel	sexual harassment
hausse de salaire	wage increase

haut niveau de responsabilité	high degree of responsibility
heures de travail	working hours
hiérarchie	hierarchy
historique	record
homologue	opposite number
horaire à la carte	flexitime
idéaliste	idealist
imagination	imagination
implication (dans)	commitment (to)
indemnité	allowance, compensation
indemnité de licenciement	severance pay
indemnités journalières	sickness benefit
indice (salarial)	increment
informations factuelles	factual information
initiative	initiative
installations	facilities
intégrité	integrity
intelligence	intelligence
intéressement aux bénéfices	profit-sharing
intérimaire	temp
introverti	introvert
investissement dans mon travail	commitment to my work
job description	description de poste
job d'été	summer job
jour de congé	day off
jour ouvrable	working day
junior entreprise	junior enterprise
leader	good leader
lettre de candidature	cover letter, letter of application
lettre de recommandation	reference letter
licenciement (pour faute)	dismissal
licenciement abusif	abusive discharge, unfair dismissal
licenciement économique	layoff *(US)*, redundancy *(UK)*
lieu de travail	workplace
liste du personnel	payroll
logique	logic
lycée	secondary school *(UK)*, high school *(US)*
maladie professionnelle	occupational disease
matière	subject
matière principale	major
médiateur	troubleshooter
mémoire *(fém.)*	memory
mémoire *(masc.)*	dissertation
mensonge	lie

(avec) mention	(with) honours (Hon.)
— mention assez bien	honours
— mention bien	high honours
— mention très bien	highest honours
mission	assignment, mission, remit
(en) mission	(on an) asignment
— motivation	motivation
— motivation (à)	commitment (to)
⌐ moyenne	average
— moyenne de la classe	class average
— moyenne générale	Grade Point Average (GPA)
— (au-dessus de la) moyenne	(above) average
— (en dessous de la) moyenne	(below) average
⌐ niveau permettant de converser en anglais	conversational knowledge of English
nom de famille	family name, surname
note	grade, mark
+ note de frais	expense account
notions d'anglais	basic knowledge of English
— œuvre caritative	charity
offre globale (salaire et avantages)	package
— offres d'emploi	situations vacant
optimiste	optimist
— organigramme	organisation chart
— organisme	body
— organisme professionnel	professional body
— orientation	type of career
ouvrier qualifié	skilled worker
partage du temps de travail	job sharing
perfectionniste	perfectionist
— période d'essai	probation, trial period
— permis de travail	work permit
personne apte à résoudre des problèmes	problem-solver
— personne ayant de bonnes capacités d'écoute	good listener
— personne ayant l'esprit d'équipe	team player
— personne qui apprend vite	quick learner
— personnel	staff, personnel *(US)*
pessimiste	pessimist
petite annonce	classified ad
— pieux mensonge	white lie
+ plan de carrière	career pattern
— plan de retraite	pension scheme

PME	small/medium-sized business (SME)
poste	position
poste vacant	vacancy
préavis de licenciement	notice of dismissal
préjudice	injury
préjugé	bias
prénom	first name
prérequis du poste	job requirements
présence d'esprit	presence of mind
pression	pressure
prime	bonus
profession	occupation
programme d'études	curriculum, programme of studies
qualifications	credentials
qualité	quality
réalisation	accomplishment
réalisation	achievement
réalisation d'objectifs	goal achievement
réaliste	realist
recherche d'emploi	job hunting
règles de sécurité	safety regulations
relationnel	interpersonal skills
remplaçant	remplacement
(travail de) remplacement	replacement work
rémunération	earnings
renseignements personnels	personal details
responsabilités	duties, responsibilities
responsable	person in charge
résultats scolaires	scholastic results
retraite par capitalisation	loanback pension
revendication salariale	pay claim
rêveur	dreamer
revue de performance	performance review
risque du métier	occupational hazard
salaire brut	gross wage
salaire net	net wage
séjour	stay
sens des affaires	business acumen
sens de l'humour	sense of humor
sentiment	feeling
sexisme	gender bias
siège social	headquarters (HQ)
stage	internship *(US)*, work placement *(UK)*
stage de formation externe	external training course

stage de formation interne	internal training course
stagiaire	trainee, intern *(US)*
suivi	follow-up
supérieur hiérarchique	supervisor
syndicat	trade union
tâche	task
tâches	duties
télétravail	teleworking
témoignage	testimonial
tendance à reporter à plus tard	procrastination
thèse	thesis
titre	job title
titres	credentials
titulaire d'une bourse	recipient of a scholarship
travail par équipes	shift work
travail saisonnier	seasonal work
turnover	staff turnover
université	university, college
valeurs de l'entreprise	corporate values
voie hiérarchique	chain of command, official channel
voiture de fonction	company car
volonté	willingness
volonté d'accepter des responsabilités	willingness to accept responsibility

3. Verbes

accéder à un poste	move into a position
acquérir de l'expérience (par le biais de)	gain experience (through)
actualiser	update
(s')adapter à la situation	adapt to the situation
agir	act
agir en conséquence	act accordingly
agir impulsivement	act on impulse
aimer	enjoy (+ ing)
aimer être au centre de l'action	enjoy being at the centre of the action
aimer travailler	enjoy working
aller de l'avant	keep going
améliorer	improve
analyser	analyse
appliquer	apply
apporter quelque chose	contribute something
appuyer	back up
assister à	attend
assumer des responsabilités	handle responsibilities
assurer le suivi (de)	assure the follow-up (of)
atteindre des objectifs	achieve goals, meet objectives
attribuer	award
avoir... années d'expérience (en)	have... years of experience (in)
avoir l'esprit critique	have a critical mind
avoir pour but de faire plaisir	aim to please
avoir tendance à	tend to
avoir un bon relationnel	have good interpersonal skills
avoir une formation solide	have a sound education
battre en retraite dans une dispute	back down in an argument
bénéficier de	benefit from
bien se passer	go well
bien s'entendre avec les autres	get on well with others
bouleverser	upset
(se) classer	rank
collectionner	collect
complimenter	give praise
concevoir	conceive, design
conduire une réunion	chair a meeting
confier quelque chose à quelqu'un	entrust someone with something
contrer les arguments des autres	counter others' arguments
contribuer (à)	contribute (to)

coordonner	coordinate
correspondre à la réalité	match reality
correspondre au profil du poste	fit the job
correspondre aux besoins de	meet the needs of
corriger mes défauts	fix my weaknesses
décrocher un poste	land a job
défier	challenge
déléguer	delegate, pass on tasks
(se) demander	wonder
démissionner (de)	resign (from)
démontrer	demonstrate
dérider les gens	cheer people up
(se) détendre	relax, unwind
dire la vérité	tell the truth
dire un mensonge	tell a lie
diriger du personnel	manage staff
diriger une entreprise	run a business
divulguer	disclose
donner un cours	teach a course
donner une conférence	give a lecture
économiser	save
écouter les autres	listen to others
effectuer	carry out
effectuer plusieurs tâches simultanément	multitask
effectuer une tâche	perform a task
embaucher	hire, take on
engager	engage
engranger de l'expérience	rack up experience
entreprendre	undertake
établir des priorités	prioritize
étayer	back up
être à l'aise (en)	thrive (on)
être blessé	feel hurt
être déconcerté	be put out
être l'auteur d'un article	author an article
être promu à un poste	be promoted to a position
évaluer	assess, rate
éviter	avoid
examiner les choses en détail	think things through
exiger (de)	demand (from)
exprimer sa désapprobation	express displeasure
faire appliquer	enforce
faire confiance à	trust

faire de l'intérim	temp
(se) faire des amis facilement	make friends easily
faire des remarques perspicaces	make insightful remarks
faire face	cope
faire un brainstorming avec un groupe	brainstorm with a group
faire un discours	make a speech
faire une étude	conduct a study
faire une présentation	give a presentation
faire une présentation orale	make an oral presentation
féliciter quelqu'un (pour)	congratulate someone (on)
financer	fund
fixer des objectifs	set goals
former	train
fournir	provide
fréquenter des gens	socialise
garantir	ensure
garder le moral	keep up morale
garder les choses pour moi	keep things to myself
garder les secrets des autres	keep other people's secrets
garder un équilibre entre	keep a balance between
gérer	manage
gérer le changement	handle change
hésiter (à)	hesitate (to)
honorer mes engagements	honour my commitments
imaginer de nouvelles façons de faire les choses	think up new ways of doing things
impliquer	involve
improviser	improvise
initier	initiate
(s')intéresser à	take an interest in
interpréter les faits	interpret the facts
lancer	launch
lever des fonds	raise funds
mal se passer	go badly
maximiser	maximize
me consacrer à	dedicate myself to
me décider	make up my mind
me laisser submerger	let things get on top of me
mettre à profit	make full use of
mettre au point	conceive, design
mettre en avant	put forward
mettre en place	implement, set up
mettre en valeur	enhance

mettre les autres à l'aise	put others at ease
muter	transfer
nommer	appoint
obtenir l'attention	gain attention
obtenir son diplôme	graduate
(s')occuper de	take care of
parfaire	round out
partager des idées avec les autres	share ideas with others
participer (à)	participate (in)
passer du temps à	spend time (+ ing)
penser tout haut	think out loud
perdre patience	lose patience
peser	weigh up
peser le pour et le contre	weigh up the pros and cons
planifier	plan, schedule
postuler à un emploi	apply for a job
pourvoir un poste	fill a position
préférer la variété à la routine	prefer variety to routine
prendre des mesures	take steps
prendre en charge	take charge of
prendre les mesures nécessaires pour remédier à	take the corrective action to fix
prendre une décision	make a decision
présélectionner	shortlist
projeter (de)	plan (to)
promouvoir	promote
recruter	recruit
rédiger un rapport	draft a report
remettre en cause	challenge
rendre service à	accommodate
renforcer	strenghten
renvoyer	dismiss, fire, sack
reporter à plus tard	procrastinate
réprimander	reprimand
résoudre des problèmes	solve problems, fix problems
résoudre les conflits	resolve conflict
ressentir	feel
réussir (un examen)	pass (an exam)
révéler peu de choses sur moi-même	reveal little about myself
savoir dans quoi je mets les pieds	know what I am getting into
savoir réconforter les autres	know how to comfort others
séjourner	stay
(se) sentir à l'aise avec les gens	feel comfortable around people

(se) sentir coupable	feel guilty
souffrir (de)	suffer (from)
subir	endure
suivre des instructions	follow instructions
superviser	supervise
surmonter la pression	cope with pressure
surmonter les obstacles	overcome setbacks
tirer de la fierté de	take pride in
tirer les enseignements de mes erreurs	learn from my mistakes
tourner à son avantage un environnement négatif	turn around a negative environment
travailler de façon indépendante	work independently
travailler sur un projet	work on a project
trouver difficile de	find it hard to

2

Quelques rappels de grammaire anglaise

I. Les mots de liaison

Pour structurer votre discours, il faudra utiliser des mots de liaison. Bien sûr, les plus simples sont les bienvenus, mais sachez en changer. La liste suivante vous permettra de trouver des alternatives :

1. Contraste

Équivalents de *bien que, alors que* : ALTHOUGH, WHEREAS, WHILE, EVEN IF
Équivalents de *malgré* : DESPITE, IN SPITE OF
Équivalents de *pourtant* : YET, STILL (tous deux en début de phrase), BUT, HOWEVER

2. Cause

Équivalents de *parce que* : BECAUSE, AS *(comme)*, SINCE *(puisque)*
Équivalents de *à cause de, du fait de* : BECAUSE OF, OWING TO, ON ACCOUNT OF, THANKS TO (sens positif : *grâce à*)

3. Conséquence

Équivalents de *par conséquent* : SO, AS A RESULT, THEREFORE *(donc)*, THUS *(ainsi)*, AS A CONSEQUENCE, CONSEQUENTLY

4. Explication, insistance

Équivalents de *en effet* : INDEED, AS A MATTER OF FACT
Équivalents de *de plus* : BESIDES, MOREOVER

Exercice d'application

Compléter les phrases suivantes avec le terme adéquat choisi dans la liste suivante :

(a) although / (b) as a result / (c) because of / (d) despite / (e) thanks to / (f) as /
(g) yet / (h) indeed

1 ...... cut-throat competition in that field, I managed to reach my sales objective.
2 ...... my clients didn't believe in this new concept, I finally talked them into it.
3 In 2007, I exceeded the sales objective set for me by management. ......, I got a 5,000 $ bonus.
4 The company's turnover decreased by 160,000 euros in 2007...... the launch of a new product by our main competitor. ......, I managed to reach my sales objective ...... the goodwill I had developed with my clients.
5 ...... I had always maintained high levels of satisfaction with my clients, sales were not affected by the tough competition in my area.
6 I pride myself on my reputation for meeting deadlines. ......, when I commit to doing something, I make sure it gets done, and on time.

Corrigé

1 d ;   2 a ;   3 b ;   4 c, g, e ;   5 f ;   6 h.

II. Les temps

Pour répondre aux questions du jury, vous allez principalement devoir relater des faits passés, datés, terminés en utilisant *du simple past*, des faits passés ayant encore une incidence sur le présent grâce à du *present perfect* et des faits présents grâce à du *present continuous* ou du *simple present*.

La bonne maîtrise des temps en anglais est également essentielle dans la rédaction d'un CV. Vous verrez dans le dernier paragraphe de ce chapitre (4 : Les temps à employer dans le CV) comment présenter vos réalisations selon qu'elles sont révolues ou d'actualité.

1. Le *simple past*

Demandez-vous toujours si une action est passée, datée, terminée. Dans ce cas de figure, oubliez le réflexe du passé composé français : il faut obligatoirement construire la phrase au *simple past*.

Ainsi, on ne dira jamais : **I've met John yesterday* ou **I've visited New York in 2002*
Mais : *I met John yesterday* et *I visited New York in 2002*

Exercice d'application

Traduire les phrases suivantes :

1 Pendant mon dernier job d'été, j'ai aidé à préparer et servir les boissons.
2 Dans mon dernier emploi (que je n'exerce plus), j'ai toujours atteint mes objectifs de vente.
3 Il y a trois ans, j'ai participé à un séminaire de formation en management d'une durée de deux semaines.
4 Grâce à ce stage, j'ai pris confiance à un poste où j'étais seul.
5 L'entreprise a fait faillite en 2001.
6 Sur une promotion de 150 étudiants, John a obtenu son diplôme avec mention (et s'est classé) parmi les 10 premiers.

Corrigé

1 In my last summer job, I helped prepare and serve drinks.
2 In my last job, I always hit my sales goals.
3 Three years ago, I attended a two-week management training seminar.
4 Thanks to this internship, I gained confidence in working alone.
5 The company went bankrupt in 2001.
6 Out of a class of 150 students, John graduated with honours in the top 10.

2. Le *present perfect*

Attention : c'est le temps qui déroute le plus les francophones. Il exprime un point de vue présent sur un événement qui a débuté dans le passé.

Il s'emploie de façon naturelle pour évoquer des faits qui viennent de se produire : *I've just met Ann* ou *I've seen Paul this morning* (cette phrase sous-entend qu'il n'est pas encore midi, sinon on dirait *I saw Paul this morning* car l'action serait « passée, datée, terminée » comme expliqué au § 1).

L'expression de « depuis » au présent français est plus délicate. Elle se fait à l'aide de *for* ou *since* :
For s'emploie devant une durée.

Il est suivi d'une forme continue *(ing)* si on veut insister sur la continuité de l'action, et d'une forme simple si l'action n'est pas marquée par sa continuité :
I have been working for BPR *for four years.* (Je travaille chez BPR depuis quatre ans)
I have made phone calls for a few days. (Je passe des coups de téléphone depuis quelques jours)

Since s'emploie devant une date ou une action au *simple past* qui fait office de date :
I have been working in Paris since 2005. (Je travaille à Paris depuis 2005)
I have been working in Paris since we created our French subsidiary. (Je travaille à Paris depuis que nous avons créé notre filiale française)

Attention : le verbe *live* ne s'emploie pas dans sa forme continue avec *for* ou *since* :
On dit : *I have lived in New York since 2006.* (J'habite New York depuis 2006)

Notez bien que les règles énoncées ci-dessus s'appliquent exclusivement à la traduction d'un présent français. Pour dire qu'on a fait une chose pendant un certain temps mais que cette époque est « passée, datée, terminée », on utilise fort logiquement du *simple past* :
I worked as an accountant for five years and then I became a CPA. (J'ai travaillé comme comptable pendant cinq ans et ensuite je suis devenu expert-comptable)

Exercice d'application

Traduire les phrases suivantes :
1 Je suis dans l'informatique appliquée aux entreprises depuis mon premier emploi.
2 Je suis dans le secteur des services depuis ces cinq dernières années.
3 Ma plus récente expérience a consisté à traiter les réclamations des clients.
4 De tout temps, je me suis intéressé au bénévolat.
5 J'ai toujours préservé un haut degré de satisfaction chez mes clients.
6 L'entreprise a une agence à Dublin depuis 2003.
7 En tant que professeur de marketing, je suis depuis longtemps impressionné par les résultats universitaires exceptionnels de Mike.

Corrigé

1 I have been involved in IT business systems since my first job.
2 I have been in the service industry for the past five years.
3 My most recent experience has been handling customers' complaints.
4 I have had a lifelong interest in volunteer work.
5 I have always maintained high levels of satisfaction with my clients.
6 The company has had a branch in Dublin since 2003.
7 As his Marketing Professor, I have long been impressed by Mike's exceptional academic performance.

3. Le présent

Le *simple present*

On l'utilise pour décrire des actions habituelles, des situations permanentes ou des généralités :
My brother works as an accountant at PwC. (Mon frère travaille comme comptable chez PwC)
I often call on clients and prospects. (Je passe souvent chez les clients et les prospects)

Le *present continuous*

On l'utilise pour décrire des actions en cours, des situations en train d'évoluer :
What I am looking for now is a company that values customer relations. (Ce que je recherche à présent, c'est une entreprise qui attache de l'importance à la relation client)
They are having a meeting. (Ils sont en réunion)
I am applying for this position because ... (Je suis candidat à ce poste parce que ...)

On utilise également le présent continu pour décrire des actions programmées dans un futur relativement proche :
I'm leaving tomorrow. (Je pars demain)

Exercice d'application

Traduire les phrases suivantes :
1 En ce moment, nous faisons une vidéo d'entreprise pour Swan Petroleum.
2 Je vois mon patron ce soir.
3 Je joue au volley dans l'équipe universitaire. Nous nous entraînons deux soirs par semaine.
4 Je vous écris en réponse à l'offre d'emploi de directeur d'agence parue dans le *Financial Times* du lundi 24 janvier.

Corrigé

1 At the moment we're making a company video for Swan Petroleum.
2 I'm seeing my boss tonight.
3 I play volleyball for the university team. We train two evenings a week.
4 I am writing to you in response to the advertisement for a branch manager, which appeared in the *Financial Times* on Monday, January 24.

4. Les temps à employer dans le CV

La logique expliquée précédemment s'applique particulièrement à la rédaction du CV :

Dans la rubrique PROFESSIONAL EXPERIENCE, vous allez mentionner des actions routinières concernant votre poste actuel.

Elles seront relatées au *simple present* (en enlevant le sujet I) :

— *Carry out control procedures.* (J'effectue les procédures de contrôle)
— *Prepare annual reports.* (Je prépare les rapports annuels)
— *Take care of book-keeping.* (Je m'occupe de la comptabilité)
— *Supervise staff of 10.* (Je dirige une équipe de 10 personnes)
— *Meet with dealers, end-users, and the sales force to define new-product features.* (Je rencontre les distributeurs, les utilisateurs finaux et la force de vente pour définir les caractéristiques des nouveaux produits)
— *Coordinate activities and support key account representative.* (Je coordonne les activités et j'apporte mon soutien aux représentants des comptes clés)

Les tâches révolues, qu'elles concernent votre poste actuel ou un poste passé, seront quant à elles présentées au *simple past* :

— *Developed new advertising strategy.* (J'ai mis en œuvre une nouvelle stratégie publicitaire)
— *Increased product line sales from $5 million in 2005 to $8 million in 2008.* (J'ai augmenté le chiffre d'affaire de la ligne de produit , qui est passé de 5 millions de dollars en 2005 à 8 millions en 2008)
— *Launched new product into the marketplace.* (J'ai lancé un nouveau produit sur le marché)
— *Led a cross-functional team.* (J'ai dirigé une équipe pluridisciplinaire)
— *Managed all product launches.* (J'ai géré tous les lancements de produits)

Dans la rubrique INTEREST AND ACTIVITIES, pensez bien à utiliser le *present perfect* pour ce qui a débuté dans le passé et reste vrai dans le présent :

— *Have travelled extensively through South-East Asia.* (J'ai beaucoup voyagé en Asie du Sud-Est)
— *Have collected and classified over 500 fossils.* (Je collectionne et j'ai classifié plus de 500 fossiles)
— *Have played the piano for 12 years.* (Je joue du piano depuis douze ans)

III. Exprimer des souhaits, évoquer des projets

Pour formuler des souhaits réalisables, il faut employer *hope* plutôt que *wish* :
I hope I'll pass the bar exam. (Je souhaite réussir l'examen du barreau)

Pour construire une phrase avec *if*, il faut connaître l'utilisation des verbes de modalité (*will, would, can, could,* etc.). Il est vivement conseillé d'apprendre par cœur les deux cas les plus fréquents, présentés dans l'exemple ci-dessous :

Traduction du présent français :
If you call me, I will help you. (Si tu m'appelles, je t'aiderai)
(*if* + sujet + verbe au présent simple... sujet + *will* + infinitif)

Traduction de l'irréel du présent :
If you called me, I'd (= I would) help you. (Si tu m'appelais, je t'aiderais)
(*if* + sujet + verbe au *simple past*... sujet + *would* + infinitif)

Exercice d'application

Traduire les phrases suivantes :
1 J'aimerais joindre mon expérience des affaires à mon intérêt pour le droit en devenant avocat d'affaires.
2 D'après ce que vous m'avez dit de ce poste, je crois que je conviendrais parfaitement.
3 Si vous avez une fourchette de salaire en tête, je serai ravi de vous dire où je me situe.
4 Si la politique de l'entreprise me semblait réellement injuste, j'en discuterais avec mon patron.
5 Je souhaite décrocher le job de mes rêves avant d'avoir 40 ans.

Corrigé

1 I would like to link my business experience with my interest in law by becoming a business lawyer.
2 Based on what you've told me about this position, I believe I'd make an outstanding match.
3 If you have a salary range in mind, I'll be happy to tell you where I fall.
4 If the company policy appeared to be genuinely unfair, I would discuss that with my boss.
5 I hope I'll get my dream job before I'm 40.

IV. Exprimer des données chiffrées

1. Les quantifieurs

On doit savoir utiliser les quantifieurs (*hundred, thousand, million, billion,* etc.) à bon escient pour expliquer ce qu'on a accompli dans le passé (objectifs de vente, etc.).

Cas où rien ne précède le quantifieur : on ajoute « -*s* + *of* » au quantifieur :
Millions of people are unemployed. (Des millions de gens sont au chômage)
Thousands of brochures were handed out. (Des milliers de brochures ont été distribuées)

Cas où le quantifieur est précédé d'une précision (donnée chiffrée, quelques, plusieurs, etc.) : on n'ajoute rien au quantifieur :

They have manufactured 2 million computers this year. (Ils ont fabriqué deux millions d'ordinateurs cette année)

They have fired several thousand employees. (Ils ont licencié plusieurs milliers d'employés)

I've contacted a few hundred clients. (J'ai contacté quelques centaines de clients)

2. Exprimer des variations

Verbe + chiffre : utiliser *by* ou rien :
On dit : *The CAC40 has increased by 100 points*
ou
The CAC40 has increased 100 points

Nom + nom : utiliser *in* :
On dit : *an increase in the CAC40, a decrease in the sales figures*

Nom + chiffre : utiliser *of* :
On dit : *a rise of 10 %, a drop of 200 points*

Traduction de « pour atteindre » :
to

Traduction de « par rapport à » :
from

Exercice d'application

Traduire les phrases suivantes :
1 Il y a eu une hausse de 10 % du chiffre d'affaire.
2 Les frais généraux ont diminué de 5 %.
3 J'ai dépassé mes objectifs de vente de 5 000 dollars.
4 Les ventes ont augmenté pour atteindre 2 700 unités, ce qui représente une hausse de 52,4 % par rapport à l'an dernier.
5 Le groupe a affiché une amélioration de 7 % du volume de ses ventes et une augmentation moyenne des prix de 3 %.
6 Les investissements passeront du niveau actuel de 110 milliards de dollars à 150 milliards de dollars.

Corrigé

1 There was an increase in turnover of ten percent.
2 Overheads fell by five percent.
3 I exceeded my sales objective by five thousand dollars.
4 Sales increased to 2,700 units, a 52.4 percent increase from last year.

5 The group posted a 7 % improvement in sales volume and an average increase of 3 % in prices.

6 Investment will be increased from the current level of US$ 110 billion to US$ 150 billion.

V. Prépositions et verbes à particule

Il est utile de connaître les constructions suivantes :

1. Prépositions suivant un verbe

*I thought **about** our marketing strategy and devised a new promotional tool.* (J'ai réfléchi à notre stratégie marketing et j'ai mis au point un nouvel outil promotionnel)

*I have applied **for** this job because ...* (J'ai posé ma candidature à ce poste parce que ...)

*I searched **for** a better way of analysing sales.* (J'ai recherché un meilleur moyen d'analyser les ventes)

*I'm waiting **for** a phone call.* (J'attends un coup de téléphone)

*Everybody benefited **from** the new system.* (Tout le monde a bénéficié du nouveau système)

*This plan differed **from** the first one.* (Ce plan différait du premier)

*The problem stemmed **from** an inadequate pricing policy.* (Le problème provenait d'une politique de prix inadéquate)

*I participated / took part **in** the negotiations.* (J'ai participé aux négociations)

*We succeeded **in** beating our main competitor.* (Nous avons réussi à battre notre principal concurrent)

*What do you think **of** the proposal ?* (Que pensez-vous de la proposition ?)

*The committee agreed **on** the steps I had suggested.* (Le comité est tombé d'accord sur les mesures que j'avais proposées)

*My supervisor always insisted **on** accuracy.* (Mon supérieur insistait toujours sur la précision)

*My colleagues know they can rely **on** me.* (Mes collègues savent qu'ils peuvent compter sur moi)

*I decided **on** this career move when the company relocated abroad.* (J'ai décidé cette nouvelle orientation de carrière quand l'entreprise a été délocalisée à l'étranger)

*Our success depends **on** projection accuracy.* (Notre réussite dépend de la précision des prévisions)

*I like listening **to** customers and giving them useful advice.* (J'aime écouter les clients et leur donner des conseils utiles)

*We had to comply **with** new accounting rules.* (Nous avons dû nous conformer à de nouvelles règles comptables)

*I agree **with** you.* (Je suis d'accord avec vous)

*I dealt **with** the problem as soon I was informed.* (J'ai traité le problème dès que j'en ai été informé)

2. Prépositions suivant un verbe et un complément

*I asked my boss **for** advice.* (J'ai demandé conseil à mon patron)

*I took care **of** the paperwork.* (Je me suis occupé des tâches administratives)

*The company spent too much money **on** advertising.* (L'entreprise dépensait trop d'argent en publicité)

*I like committing myself **to** new assignments.* (J'aime m'impliquer dans de nouvelles missions)

*I explained the issue **to** the head of human resources.* (J'ai expliqué le problème au responsable des ressources humaines)

*The dealer supplied / provided us **with** new appliances.* (Le distributeur nous a fourni de nouveaux appareils)

3. Prépositions suivant un adjectif

*I am good **at** computer programming.* (Je suis bon en programmation informatique)

*The equipment was not suitable **for** the elderly.* (L'équipement n'était pas adapté aux personnes âgées)

*I am responsible **for** logistics.* (Je suis responsable de la logistique)

*I am interested **in** economics.* (Je suis intéressé par l'économie)

*I am involved **in** a charity.* (Je suis impliqué dans une œuvre caritative)

*I knew I was capable **of** more.* (Je savais que j'étais capable de plus)

*I am well aware **of** the provisions of the Sarbanes-Oxley act.* (Je suis bien au courant des dispositions de la loi Sarbanes-Oxley)

*The CEO was opposed **to** any change.* (Le DG était opposé à tout changement)

*I'm accustomed / used **to** working under pressure.* (J'ai l'habitude de travailler sous pression)

*My supervisor was satisfied **with** the results.* (Mon supérieur était satisfait des résultats)

4. Absence de préposition (inattendue pour un francophone)

*I'm prepared to **answer** all the questions.* (Je suis prêt à répondre à toutes les questions)

*I **attended** most sales meetings.* (J'ai assisté à la plupart des réunions de vente)

*We should **discuss** the matter further.* (Nous devrions discuter de cette question plus avant)

*I **lack** experience.* (Je manque d'expérience)

*What can you **tell** me about this new department ?* (Que pouvez-vous me dire au sujet de ce nouveau service ?)

5. Verbes à particule courants

Voici quelques verbes à particule qui vous permettront par exemple d'expliciter le contenu de votre CV :

bring about : provoquer , induire
This incentive scheme brought about new attitudes towards sales objectives. (Ce système de stimulation a induit de nouvelles attitudes envers les objectifs de vente)

get along with : bien s'entendre avec
I get along with all my colleagues. (Je m'entends bien avec tous mes collègues)

carry out : effectuer, exécuter
We carried out a survey. (Nous avons effectué un sondage)
I carried out the plan. (J'ai exécuté le plan)

back up : étayer
Always back up what you say about your skills with an example. (Étayez toujours ce que vous dites à propos de vos compétences à l'aide d'un exemple)

set up : installer, mettre en place, créer
I set up the new software. (J'ai installé le nouveau logiciel)
I set up a distribution network in Europe. (J'ai mis en place un réseau de distribution en Europe)

VI. *Quelques pièges à éviter*

— Attention : on ne peut pas dire **according to me* même si cette expression convient parfaitement avec *him, you,* etc. À la première personne, on peut employer par exemple
in my opinion.

— Il faut employer l'article indéfini *a* ou *an* quand on cite sa profession :
*I am **an** engineer.*
*I am **a** lawyer.*

— Veillez à employer la bonne préposition dans les deux cas suivants :
*I'm looking for a position **as** sales representative* (*as* = en tant que)
et
*I'm looking for a position **with** a car manufacturer* (*with* = chez)

— Ne confondez pas **teach** (enseigner) et **learn** (apprendre) :
I learned English for 10 years.
mais
I was taught English for 10 years.

— Traduction de « niveau » :
On emploie peu le mot *level* pour parler de son niveau dans une langue. On pourra dire :
*My **knowledge** of Spanish in most specializations is very good.*
ou
*Since leaving New York three years ago, I have continued to maintain the **standard** of my English from many media sources including reading, writing, listening and speaking, as well as attending classes.*

— Traduction de « permettre » :
*My boss **allowed/permitted** me to take a training course.* (Mon patron m'a **autorisé** à suivre un stage de formation)
*This training course **enabled** me to hone my IT skills.* (Ce stage de formation m'a **permis** de parfaire mes compétences en informatique)

— Prenez garde aux qualificatifs qui sont des adjectifs en français et des noms en anglais :
On dit : *I'm **a** perfectionist* et *I'm **an** altruist.* (Par contre l'adjectif *altruistic* existe : on peut dire *I'm altruistic*).

Quant à **responsible**, il s'agit exclusivement d'un adjectif. Pour traduire le nom français « responsable », il faut utiliser ***person in charge*** :
The person in charge of logistics is Mr Martin. (Le responsable de la logistique est M. Martin)
I saw the person in charge. (Je me suis adressé au responsable)

— On dit *I'm 20 years old* mais le *s* disparaît dans les adjectifs :
*I'm a twenty-**year**-old student.*

De même, on dit :

— *A French DUT is a two-**year** degree ;*
— *I'm a fifth-**year** student ;*
— *I did a two-**month** work placement.*

— Traduction de « pour » : si vous changez de sujet dans la proposition subordonnée, vous ne pourrez pas utiliser *to* ni *in order to* : il faudra utiliser *so that*.
Ainsi, on pourra dire :
*I completed inquiry forms with all our customers **to** prepare the best possible offers.* (J'ai rempli des questionnaires auprès de tous nos clients pour préparer les meilleures offres possibles)

En revanche, il faudra utiliser *so that* dans la phrase :
*I completed inquiry forms with all our customers **so that** sales reps could prepare the best possible offers* (J'ai rempli des questionnaires auprès de tous nos clients pour que les commerciaux puissent préparer les meilleures offres possibles)

— Attention aux mots qui prennent un s au singulier : *means* (moyen), *series* (série), *headquarters* (siège social) :
*Sport is a good **means** of achieving fitness and well-being.* (Le sport est un bon moyen d'assurer sa forme et son bien-être)
*The company overlooked a **series** of problems.* (L'entreprise a négligé toute une série de problèmes)
*Their **headquarters** is located in Madrid.* (Leur siège social est à Madrid)

— Veillez à bien utiliser les indénombrables comme *information*, *news*, *advice*, *software* et *knowledge* qui sont toujours au singulier. L'emploi de *a piece of* permet de les dénombrer.

Exercice d'application

Traduire les phrases suivantes :
1 Quelles sont les nouvelles ?
2 Pourquoi les logiciels coûtent-ils si cher ?
3 J'ai approfondi mes connaissances en marketing.
4 Les informations sont exactes.
5 Tes conseils sont toujours pertinents.
6 J'ai besoin de cette information dès que possible.

Corrigé

1 What's the news ?
2 Why does software cost so much ?
3 I have broadened my knowledge of marketing.
4 The information is accurate.
5 Your advice is always relevant.
6 I need this piece of information asap.

— Veillez à connaître les principaux verbes irréguliers : il serait dommage d'être confronté à un trou de mémoire pour exprimer une idée simple.
L'exercice suivant vous permettra de savoir si une révision de fond s'impose :

Exercice d'application

Compléter les phrases suivantes au *simple past* ou au *present perfect* :

1 I ...... a physician two years ago. (devenir)
2 I ...... my career as a media analyst. (commencer)
3 I have ...... your annual report. (lire)
4 I ...... tax law because I liked both law and mathematics. (choisir)
5 I noticed that clients ...... confident in entrusting their business to my hands. (se sentir)
6 I was ...... the opportunity to travel. (donner)
7 A summer job ...... me to choose this course. (conduire)
8 I ...... to several firms. (écrire)
9 My employer ...... the concerns I raised to him. (comprendre)
10 I often ...... dealers, retailers and end-users. (rencontrer)
11 I ...... a few months in China. (passer)
12 Last week I ...... to my supervisor and ...... him I intended to resign from my position. (parler/dire)
13 I've ...... several positions in the food industry. (assumer)
14 We ...... a new machine-tool and two weeks after, it ...... down. (acheter/casser)
15 A new camera system was ...... in to replace the existing one. (apporter)

Corrigé

1 became, 2 began, 3 read (prononcer « red »), 4 chose, 5 felt, 6 given, 7 led, 8 wrote, 9 understood, 10 met, 11 spent, 12 spoke/told, 13 held, 14 bought/broke, 15 brought

3

Les étapes préalables à l'entretien

I. Savoir utiliser Internet pour bien rédiger son CV *et sa lettre de motivation en anglais*

« Il faut être apprenti avant d'être maître » : cette maxime s'applique parfaitement à la rédaction d'un CV en langue étrangère. Pour créer quelque chose qui « sonne juste » en anglais, mieux vaut toujours partir d'un corpus authentique élaboré par des anglophones et l'adapter à son propre cas plutôt que d'essayer de traduire mot à mot un CV français en anglais.

Le présent ouvrage n'a pas pour objet une aide approfondie à la rédaction de CV et de lettres de motivation. Il n'aborde notamment pas les problématiques de présentation et de mise en page. Cependant, vous trouverez dans les pages qui suivent plusieurs modèles de base.

Un grand nombre de CV et de lettres de motivation types sont également disponibles sur Internet, notamment sur les sites :

http://www.bestsampleresume.com
http://www.cv-resume.org
http://www.jobbankusa.com/
http://www.quintcareers.com
http://jobsearch.about.com (Rubrique CV/Resume/Letters : Samples)
http://www.vault.com (Rubrique Job Advice)
http://www.alec.co.uk/cvtips
http://www.career.vt.edu/

Le site EUROPASS **(http://europass.cedefop.europa.eu)** permet par ailleurs de rédiger son CV par étapes en français ou en anglais avec une aide en ligne très bien conçue afin de lui donner une présentation intelligible dans tous les pays d'Europe.

L'intérêt d'Internet réside aussi et surtout dans la possibilité de réaliser un CV « sur mesure » et de cerner les qualités requises pour un poste ainsi que les attentes d'un employeur (avec en filigrane une préparation efficace à l'entretien d'embauche visé). Pour obtenir le résultat escompté, il faut entrer les mots clés adéquats dans un moteur de recherche. Les expressions suivantes sont souvent les plus pertinentes pour obtenir des informations sur un large spectre de carrières :

— *job definition ;*
— *job description ;*
— *job requirements ;*
— *testimonial ;*
— *case study ;*
— *a day in the life.*

Nous allons analyser deux exemples de recherches menées en utilisant ces mots clés ainsi que des offres d'emploi en ligne.

Exemple 1 : Poste d'analyste-crédit

1. Description de poste (*job description* ou *job definition*)

Imaginons que vous êtes étudiant en Master 2 de finance et que vous cherchez un emploi d'analyste-crédit *(credit analyst)* dans une banque qui vous demande de fournir un CV en anglais. Si on tape le mot clé *credit analyst* dans un moteur de recherche comme Google **(http://www.google.com)**, on est dirigé vers des sites de recrutement et également des sites qui ont l'intérêt de fournir de nombreuses descriptions de poste dans diverses branches, comme :

http://www.prospects.ac.uk.

Dans la rubrique : *Credit analyst : Job description and activities*, les expressions intéressantes à incorporer dans un CV et à exploiter en entretien ont été extraites :
*The role demands a strong combination of **interpersonal, analytical and decision-making skills**. Typical work activities [...] can include :*
***providing quality service to internal customers** [...]*
***analysing financial information** [...]*
***assessing the credit worthiness of client companies** ; [...]*
***liaising with other staff** within the company [...]*
***undertaking investigations regarding credit proposals** [...]*

2. Prérequis d'un poste *(job requirements)*

Toujours à propos de ce poste d'analyste-crédit, on trouve dans la rubrique *entry requirements* du site **http://www.prospects.ac.uk** la liste de prérequis suivants :
*a reasonable level of **numeracy** ; **good** IT **literacy** [...] ; **excellent interpersonal, team-working and communication skills** ; a high standard of **personal integrity and decisiveness**, in addition to **problem-solving and influencing skills**.*

En tapant *credit analyst job requirements* dans Google, on est également dirigé vers le site **http://www.efinancialcareers.com** qui fournit les renseignements suivants dans une offre d'emploi :
Job Requirements

University degree in business economics or finance or similar education and/or equivalent work experience
*Minimum three years commercial credit underwriting experience and/or analysis experience **Strong analytical skills, ability to multitask, independent character and able to work effectively in groups, ability to support and justify recommendations, strong knowledge of** PC's, including MS-Office, Internet Usage and credit agency software, very good **English language skills, strong communication skills, effective persuasive and negotiating skills with key stakeholders, detail oriented, organized and driven, decisive and authoritative, source of expertise, self-motivated.***

3. Sites d'entreprises et témoignages de cadres
(testimonial / case study / a day in the life)

De plus en plus de grandes entreprises (multinationales, banques, cabinets d'avocats ou d'expertise comptable) fournissent des témoignages (*testimonial* ou *case study*) de jeunes diplômés ou de cadres confirmés qu'il est primordial de lire pour se faire une idée d'un poste.

Le site **http://www.vault.com** contient également une rubrique très bien faite intitulée *A day in the life*. Vous y trouverez l'emploi du temps détaillé de nombreux cadres.

Revenons à la carrière d'analyste-crédit. Un site digne d'intérêt pour des recherches portant sur une carrière dans la finance est celui de BNP Paribas, où l'on accède à des descriptions de poste et à des témoignages de cadres à propos de leur formation et de leur travail quotidien :

http://careers.bnpparibas.com/en/opportunities/credit_analyst.asp

On obtient d'abord une description du poste d'analyste-crédit. Les mots clés concernant les qualités attendues chez l'analyste en ont été extraits :

— *naturally **inquisitive** ;*
— *able to make a substantiated critique of his/her client's dossiers ;*
— ***thorough** and **comprehensive** ;*
— *able to rapidly examine and then evaluate a great deal of information ;*
— *able to rapidly **adapt** his methods of evaluation, depending upon both the nature and the importance of the information in hand.*

En cliquant ensuite sur *case study*, on obtient le témoignage d'une analyste-crédit. En voici un extrait où les qualités requises ont été mises en gras :
« *The ability to **react quickly** and to **have a sound understanding of financial management** is integral to a career as a Credit Analyst. Furthermore, one has to be able to **cope with a great degree of autonomy**, knowing how and where to look for information. One has to demonstrate the **ability to co-ordinate and analyse relevant information**.* »

En utilisant toutes ces informations, on obtiendra le CV type présenté p. 64 et la lettre de motivation présentée p. 70.

Exemple 2 : Poste de chef de produit senior

Imaginons que vous êtes chef de produit junior dans l'industrie agroalimentaire. Vous souhaitez désormais accéder à un poste de chef de produit dans une multinationale et on vous demande de fournir un CV en anglais.

4. Offres d'emploi

Si on tape les mots clés *product manager food* ou *brand manager food* dans un moteur de recherche comme Google (www.google.com), on est dirigé vers des sites de recrutement comme :

http://www.reed.co.uk/Job
http://www.marketingjobs.com
http://www.ritesite.com/JobDatabase
http://hotjobs.yahoo.com/job

et on obtient notamment les extraits d'annonces suivants, où ont été mises en gras les expressions qui vous correspondent et vont servir à personnaliser votre CV et votre lettre de motivation :

▶ **Extrait d'annonce 1**
Senior Marketing Manager
Leading manufacturer of its kind in US and Canada
Strong, profitable and well-financed company headquartered in [...]
Offers career development and growth opportunities as part of a global company
*Dynamic, supportive, and **team-focused environment***
Very competitive total rewards based compensation and benefits package
Markets retail branded and private label products to retail grocery, wholesalers, foodservice, and food processors

*The Sr. Business Manager is responsible to **lead the development of an innovative new product portfolio** that redefines the company and drives the long term sales, share and profit goals. As the portfolio champion, the Business Managers own the brand positioning, equity and financial well being for their projects and newly established brands. This position is required to **motivate cross-functional partners** in Sales, Trade Marketing, Operations, R&D and Finance to **prioritize activities, define problems and innovate around solutions to achieve business results**.*
***Experience in new product development** is required.*

Qualifications :
• *Bachelor's degree ; MBA preferred*
• *5 + yrs. experience in marketing in CPG industry (food preferred)*
• *Experience **managing a marketing budget***

- *Strong interpersonal skills to work cross-functionally*
- *Strategic thinking skills* and ability to develop focused plans to capitalize on opportunities
- Generation and interpretation of IRI syndicated data toward action
- *Experience with consumer research methodologies*
- *Effective* **project management skills**
- Understanding of all US retail food trade classes
- Experience in **advertising, consumer promotion, package design**, and new product development
- Proactive, innovative
- *Strong Microsoft Office skills* (predominately Excel & PowerPoint)

▶ **Extrait d'annonce 2**

Product manager for Food Service Marketing Department.
Outstanding career opportunity exists with Industry Leading large, dynamic and successful consumer Product Company searching for a **self-motivated, confident** and **forward thinking** product manager to join their Food Service Marketing Department. The successful candidate will be responsible for **developing strategies** and **implementing plans and targets for assigned product** groups or channels of business, and will **organize and control** assigned product line(s) **from conceptual stages through product life cycles** to **optimize profit** and **meet marketing, financial and corporate objectives**. This is a key position in the department.
The successful candidate will have **significant interaction with all levels of the organization** including sales, operations, production planning and finance.
Bonus and all fringes. Generous relocation package available. MBA strongly desired.

▶ **Extrait d'annonce 3**

Our client is now seeking a Product Manager. This is a global position, office based in [...]. The position will report to the Business Director within the International Marketing and Services Centre.
Major Responsibilities
- Product Performance – Implementation and follow up of action plans. Responsibility to report on products performance to BD. Annual budgeting together with BD.
- Marketing – **Control of marketing budget related to the products**. Action plan development into scheduled activities. Communication of the plans, activities and results to sales network and application lab. Product training and **presenting new marketing plans in sales meetings. Development of marketing material for the products**.
- Sales – Translating feedback from sales network into opportunities and to **be liaison between sales, production**, application development and regulatory for responsible products. **Dealing with inquiries from sales network** regarding responsible products.
- Market Research – **Identifying and analysing new trends and developing them into business plans**.
- Logistics – Management of product range. Working together with production sites, PR and regulatory to **ensure that products meet customer, quality and legal requirements**.
- Other – Other product management related issues as required.

Qualifications and Experience
- *Minimum BSc in a scientific discipline ; preferably food or nutrition*
- **Commercially aware and astute**
- *Previous experience as a product manager / sales manager in the food arena is desirable*
- **Self Motivated**
- **Excellent Interpersonal Skills**
- **Team Player**
- **Ability to build strong internal relationships both vertically and horizontally**
- **Desire to travel globally as and when required**
- **Assertive**
- **Independent/Open/Honest**
- **Creative** – *Ability to 'bring ideas to the table'*

5. Banques de CV en ligne

Des sites comme **http://www.ritesite.com** (rubrique *Recruiters/Employers* puis sous-rubrique *Resumes Database*) fournissent des CV de cadres dont il est très utile de s'inspirer, en veillant bien sûr à ne garder que les éléments correspondant à une personnalité et à une expérience données !

Si on synthétise les compétences demandées dans les annonces précédentes et qu'on s'inspire de CV réels, on aboutit par exemple au CV présenté p. 66 et à la lettre de motivation présentée p. 71.

II. Exemples de CV en anglais

1. CV d'étudiant à la recherche d'un premier emploi

Les recherches menées sur Internet afin d'aboutir à la rédaction de ce CV sont présentées p. 59 à 60. La lettre d'accompagnement de ce CV est présentée p. 70.

Max IMOM
8, rue de la Carrière
75017 Paris
France
Phone 01 40 52 21 3.
maximom@gargamail.com

PERSONAL PROFILE

Detail-oriented, dependable and driven student with excellent analytical and interpersonal skills

ACHIEVEMENTS

President of the Master 2 student liaison committee (an elective post) 2007-2008

EDUCATION AND TRAINING UNIVERSITY OF TALENT-SUR-SAÔNE, France

— *Master 2 Finance d'Entreprise (Hon.) (Full-time Degree Course in Corporate Finance including Accounting, Financial Status Analysis, Management and English) 2007- 2008*

Ranked 2nd in a class of 42
— *Maîtrise (Hon.) (four-year university program in Economics and Finance) 2003-2007*

Ranked 5th in a class of 80

LYCÉE CHE GUEVARA, Neuilly-sur-Seine, France

Full-time secondary education 2000-2003
Baccalauréat S (Hon.) (equivalent to GCE « A » Levels / French High School Diploma)
Main subjects : Maths and Physics

INTERNSHIPS AND PROFESSIONAL EXPERIENCE

3-month internship with BNCI Bank, Rouen, France — SME market 2007
Analysed financial information
Assessed the credit worthiness of client companies

Prepared reports on credit proposals
Attended meetings with clientele advisers

2-month internship with SOFTINA Inc. Houston, Texas, USA 2006
Researched the French market for a range of company products and services
Translated brochures from English into French
Communicated with French Chambers of Commerce

Part-time position as Customer Service Adviser, Le PRINTEMPS, Talent, France 2005
Provided customer service in a retail outlet
Maintained stock and updated product ranges
Handled cash and balanced the till at the end of each day
Did promotion work in the store for new products

INFORMATION TECHNOLOGY

Conversant with Word, Excel, Access and PowerPoint

FOREIGN LANGUAGE SKILLS

French : Native speaker
English : Excellent (TOEIC score 960)
*   Frequent visits to England*
German : Proficient written and oral skills
Spanish : Basic conversational language

EXTRA-CURRICULAR ACTIVITIES

— Sports :

Basket-ball (university team member)
Sailing (participant in the national student sailing championship in 2005)

— Volunteer work :

Member of ENSEMBLE, a student association designed to help underprivileged children with their school work

REFERENCES

Available on request

2. CV de cadre expérimenté

Les recherches menées sur Internet afin d'aboutir à la rédaction de ce CV sont présentées p. 61 à 63. La lettre d'accompagnement de ce CV est présentée p. 71.

Les expressions les plus intéressantes sont traduites :

Marc AURÈLE
35, rue du Destin
75015 Paris
Phone : 01 40 27 12 2. (home) – 01 40 58 13 4. (work)
E-mail marcoco@gargamail.com

Marketing executive with proven track record of positively influencing the direction and profitability of a business. Commercially aware and astute manager who has demonstrated the ability to lead and make substantive contributions in cross-functional teams. Highly experienced in new product development and consumer research. Self-motivated and creative individual with excellent interpersonal skills. Fluent in French and English.
(Cadre marketing dont le CV prouve qu'il sait influencer positivement la stratégie des entreprises où il travaille et améliorer leur rentabilité. Manager habile, ayant un sens commercial développé. A démontré sa capacité à diriger des équipes pluridisciplinaires et à s'y investir avec succès. Grande expérience du développement de nouveaux produits et des études de consommation. Motivé et créatif. Excellent relationnel. Parle couramment français et anglais.)

PROFESSIONAL EXPERIENCE

Product Manager – XXX SA, Paris (2004-Present)
Managing the profitable growth of XXX business ($... annual sales), including product improvement and the development of an innovative product portfolio

— *Leading the development of business' global strategy, including managing a cross-functional team that analyzes customer, competitor and market trends and develops future business initiatives.*
— *Realized more than 15 % growth in profits, while simultaneously netting a reduction in production related overhead costs.* (A obtenu une augmentation de 15 % des bénéfices tout en parvenant à réduire les frais généraux liés à la production)
— *Led the commercialization of a breakthrough product with the potential to increase global revenues by 5 % annually.*
— *Completed extensive pricing analyses and revised pricing strategies that led to the renewal of contracts ($... annual revenues).*

Assistant Product Manager – YYY SA, Lyon (1999-2004)
Responsible for identifying and evaluating new markets, products and product extensions for YYY business ($... annual sales), including the development of marketing and sales initiatives for high potential niches

— *Assisted the Product Managers in contributing towards the development and implementation of a marketing strategy for the product range.*
— *Assisted in the development and sourcing of products to achieve competitive advantage and sales and margin targets.* (A contribué au développement et à l'approvisionnement des

produits afin de créer un avantage concurrentiel et d'atteindre les objectifs de ventes et de marge)

— *Supported the negotiation with suppliers to achieve buying margin and supplier contribution.*
— *Developed and implemented promotional initiatives and in-store merchandising approaches.*
— *Contributed to the development of the product range by assessing supplier and competitor activity, customer and store reactions.* (A contribué au développement de la gamme de produits en évaluant l'activité des fournisseurs et des concurrents et les réactions des clients et des distributeurs)
— *Assisted in the briefing and evaluation of all sales promotional activity and responded with price changes as required.*

EDUCATION

MBA – ... Graduate School of Business – The University of ..., USA, 1999
Concentration : Marketing and International Business – 3.8 GPA
(NB : pour comprendre le système de notation GPA, consulter le site wikipedia : http://en.wikipedia.org/wiki/Grade)

Maîtrise de Sciences de Gestion with honours (Four-year university degree in Management) – University of ..., France, 1996

INFORMATION TECHNOLOGY

Conversant with Word, Excel, Access, PowerPoint, Outlook, SAP, BO, Photoshop

FOREIGN LANGUAGE SKILLS

French :   Native speaker
English :   Fluent (TOEIC score 980)
German : Excellent command of both written and spoken language
Spanish : Basic conversational language

EXTRA-CURRICULAR ACTIVITIES

Sports :   Ski (competition), tennis
Interests : Gregorian chant

III. Exemples de lettre de motivation en anglais (Cover letter)

1. Lettre de motivation pour recherche de stage

5, place de la Réussite
54520 Laxou
France
03 83 57 88 2.
jacquesadi@gargamail.com

February 10, 2008

Mr. Mike AREER
Personnel Director
ABC Company
4712 Mulholland Drive
Blacksburg, VA 24070
USA

Dear Mr. Areer :

I am writing to you to enquire about the possibility of completing an internship within your company. I am currently studying towards a Master's of Finance at the University of … . This is a five-year degree in banking and financial engineering for companies. As part of the requirements of this degree, I must complete a 6-month work placement (from April 1, 2008).

I am especially interested in management control and I intend to pursue a career in this field. Indeed, I am methodical, creative and eager to help my future employer to expand while increasing company profit.

As my enclosed CV points out, I have already had several placements in banks and my experience also includes working part-time as a bookkeeper in a family business. Because of the small size of this company, I have been exposed to and have participated in most aspects of managing a business, including sales and marketing. In addition, I speak French, English and German and I am willing to travel.

Judging by my previous placements and my academic performance, I also assure you that I am a team-player and I can tackle all assignments with dedication.

My current goal is to apply my knowledge and experience while acquiring new skills in an international company with an excellent reputation such as yours.

I hope my qualifications and motivation will be of interest to you. I look forward to hearing from you.

Sincerely,

[signature manuscrite]

Jacques ADI

Enclosure

Traduction

Monsieur,

Je me permets de vous écrire dans le but d'effectuer un stage dans votre entreprise. Je suis actuellement étudiant en Master de Finance à l'Université de ... Il s'agit d'une formation de cinq années dans le domaine de l'ingénierie financière et bancaire des entreprises. Dans le cadre de ce diplôme, je dois accomplir un stage de six mois (à compter du 1er avril 2008).

Je suis particulièrement attiré par le contrôle de gestion et j'ai l'intention d'effectuer une carrière dans ce domaine. En effet, je suis méthodique, créatif et désireux d'aider mon futur employeur à se développer tout en augmentant ses bénéfices.

Comme vous le verrez dans mon CV ci-joint, j'ai déjà fait plusieurs stages dans des banques et j'ai également travaillé à temps partiel comme comptable dans une entreprise familiale. Étant donnée la taille réduite de cette société, j'ai été confronté et j'ai pris part à la plupart des fonctions d'une entreprise, y compris la vente et le marketing. De plus, je parle français, anglais et allemand et suis prêt à voyager.

Au vu de mes stages précédents et de mes résultats universitaires, je peux également vous assurer que j'ai l'esprit d'équipe et que je prends à cœur toutes les missions qui me sont confiées.

À présent, je souhaiterais appliquer mes connaissances et mon expérience et acquérir de nouvelles compétences dans une multinationale jouissant comme la vôtre d'une excellente réputation.

J'espère que vous jugerez mes qualifications et ma motivation dignes d'intérêt. Dans l'attente de votre réponse, je vous prie d'agréer, Monsieur, mes salutations distinguées.

PJ : CV

2. Lettre de motivation pour recherche d'un premier emploi

Les recherches menées sur Internet afin d'aboutir à la rédaction de cette lettre de motivation sont présentées p. 59.

Le CV joint à cette lettre est présenté p. 64.

8, rue de la Carrière
75017 Paris
France
01 40 52 21 3.
maximom@gargamail.com

March 3rd, 2008

Mr. Luke ATME
Personnel Director
XYZ Bank
777, Wool Street
Denver, CO 72567
USA

Dear Mr. Atme :

I would like to express my interest in a credit-analyst position with XYZ Bank. Throughout my job search and conversations with several executives in the field I have come to respect the professionalism that characterizes your firm and its employees.

I was also impressed to learn of XYZ's recent ..., a tactic which I see as indicative of XYZ's commitment to achieving growth and success in the future. Innovative and exciting approaches such as this, coupled with XYZ's highly regarded corporate values, convince me that XYZ Bank is the ideal environment to begin my business career.

Proof of my interpersonal, analytical and decision-making skills has been demonstrated in my responsibilities as credit analyst intern at BNCI Bank last summer, and my outstanding grades in financial mathematics, accounting and English.

I will complete my master's degree in finance from the University of Talent-sur-Saône in mid-May and will be available to begin employment in early June.

Enclosed is a copy of my résumé, which more fully details my qualifications for the position.

I look forward to talking with you about my application. Within the next week I will contact you to confirm that you have received my email and to answer any questions that you may have.

Thank you for your consideration.

Sincerely,

[signature manuscrite]
Max IMOM

Enclosure

Traduction

Monsieur le Directeur,

Je me permets de vous soumettre ma candidature à un poste d'analyste-crédit au sein de la banque XYZ. Au cours de ma recherche d'emploi et des conversations que j'ai eues avec plusieurs cadres du secteur, j'ai eu l'occasion d'apprécier le professionnalisme qui caractérise votre entreprise et ses salariés.

J'ai également été favorablement impressionné par la récente ... de XYZ, une tactique qui me semble indiquer la volonté de XYZ de se fixer des objectifs de croissance et d'excellence pour l'avenir. Une stratégie novatrice et conquérante comme celle-ci, alliée à des valeurs d'entreprise éminemment respectables, m'ont convaincu de commencer ma carrière chez XYZ.

Mes qualités relationnelles ainsi que mon aptitude à l'analyse et à la décision sont reflétées par les responsabilités qui m'ont été confiées en tant qu'analyste-crédit stagiaire à la banque BNCI l'été dernier et par mes excellents résultats en mathématiques financières, en comptabilité et en anglais.

Je terminerai mes études en Master de Finance à l'Université de Talent-sur-Saône mi-mai et serai prêt à entrer dans la vie active dès le mois de juin.

Vous trouverez ci-joint mon CV qui vous fournira plus de précisions sur mes qualifications.

J'espère pouvoir prochainement m'entretenir de ma candidature avec vous. Je me permettrai de vous contacter dans le courant de la semaine prochaine pour m'assurer que vous avez bien reçu mon message et répondre à vos questions.

Je vous remercie de l'attention que vous voudrez bien porter à ma candidature et vous prie d'agréer, Monsieur le Directeur, mes salutations distinguées.

PJ : CV

3. Lettre de motivation jointe au CV d'un cadre expérimenté

Les recherches menées sur Internet afin d'aboutir à la rédaction de cette lettre de motivation sont présentées p. 61.

Le CV joint à cette lettre est présenté p. 66.

35, rue du Destin
75015 Paris
Phone : 01 40 27 12 2. (home)
01 40 58 13 4. (work)
E-mail marcoco@gargamail.com

August 17, 2008

Mr. Terry GILLIAM
Personnel Services Manager
WHATA Company
11, Downing Street
New York, NY 72567
USA

Dear Mr. Gilliam,

I am writing to you on behalf of John Cleese, your regional sales manager for the south of France, who suggested that I contact you about a possible opening for a senior product manager.

As you will see from my attached résumé, I have extensive experience in the fields of product portfolio development and cross-functional team management within two large French organizations. My previous responsibilities have also included negotiating with suppliers, briefing sales representatives and implementing promotional initiatives.

Although my current position is both interesting and rewarding, I am now looking for the next step in my career. Indeed, I would like to make good use of my foreign language skills and I would be willing to relocate to Britain or the USA.

I am eager to pursue my career as marketing executive in a company such as yours which is famous both for the quality of its products and its capacity to motivate and retain talented employees. I would therefore be keen to discuss this opportunity further at an interview. I look forward to hearing from you.

Sincerely,

[signature manuscrite]
Marc AURÈLE

Enclosure

Traduction

Monsieur le Directeur,
Je vous écris de la part de John Cleese, votre directeur régional pour le sud de la France, qui m'a suggéré de vous contacter dans l'éventualité d'un recrutement à un poste de chef de produit senior.

Comme en témoigne mon CV ci-joint, j'ai une expérience approfondie du développement d'un portefeuille de produits et de la direction d'équipes pluridisciplinaires au sein de deux grandes entreprises françaises. Dans le cadre de mes responsabilités, j'ai également négocié avec les fournisseurs, formé les commerciaux et mis en place des campagnes de promotion.

Bien que mon poste actuel soit à la fois intéressant et gratifiant, je souhaite franchir une nouvelle étape dans ma carrière. En effet, je voudrais mettre à profit mes compétences linguistiques et je suis prêt à travailler en Grande-Bretagne ou aux États-Unis.

Je souhaiterais poursuivre ma carrière de cadre marketing dans une entreprise comme la vôtre, réputée pour la qualité de ses produits comme pour sa capacité à motiver et à garder ses meilleurs salariés. Je serais par conséquent ravi de discuter de cette possibilité avec vous au cours d'un entretien.

Dans l'attente de votre réponse, je vous prie d'agréer, Monsieur le Directeur, mes salutations distinguées.

IV. Exemples de lettre de recommandation en anglais (Reference letter)

Ces modèles pourront vous aider à traduire en anglais des lettres de recommandation que l'on aura écrites pour vous en français.

1. Lettre de recommandation écrite par un enseignant pour un étudiant

TO WHOM IT MAY CONCERN

I am writing this reference at the request of Mr Martin who is applying for [job title/graduate programme] with your [company/university].
I have known Mr Martin for the past [...] years in my capacity as [job title] at [organization]. He took [...] courses from me and earned [good/very good/excellent] grades in those classes. Based on Mr Martin's grades, attendance and class participation, I would rate Mr Martin's academic performance in my class as [good/very good/excellent].
Moreover, Mr Martin has a number of strengths to offer. For example, he performs well above average in oral communications and often came up with original and clever solutions to the numerous case studies covered in class.
In conclusion, I would [highly] recommend Mr Martin. If his performance in my class is any indication of how he would perform in [position/graduate programme], I believe he will be a positive addition to your [company/university].
If you would like to discuss this further, please feel free to contact me.
Sincerely,

Traduction

POUR VALOIR CE QUE DE DROIT

J'écris cette lettre à la demande de M. Martin qui souhaite se porter candidat [au poste de ... / à un programme d'études en ...] dans votre [entreprise/université].

En ma qualité de [fonctions exercées] au sein de [nom de l'organisation], je connais M. Martin depuis [...] années. Il a suivi mes cours de [...] et a obtenu [de bonnes / de très bonnes / d'excellentes] notes. Eu égard aux notes de M. Martin, à son assiduité et à sa participation en classe, je considère le niveau de M. Martin dans ma matière comme [bon / très bon / excellent].

De plus, M. Martin a démontré un certain nombre de qualités. Par exemple, son aptitude à la communication orale le place bien au-dessus de la moyenne des étudiants et il a souvent apporté des solutions originales et astucieuses aux nombreuses études de cas réalisées en cours.

En conclusion, je recommande [vivement] la candidature de M. Martin. Si ses résultats dans ma matière sont une indication de sa réussite [au poste de ...] / à un programme d'études en [...], je pense qu'il constituera un atout pour votre [entreprise/université].

Si vous désirez de plus amples informations, n'hésitez pas à me contacter.

Cordialement.

2. Lettre de recommandation écrite par un supérieur hiérarchique pour un stagiaire

TO WHOM IT MAY CONCERN

This is to confirm that Julie Martin (University of ..., France) has been an intern with [company name] from March 1, 2008 to July 14, 2008.

During her internship Ms. Martin worked on a number of projects for our company and demonstrated a high level of professionalism and enthusiasm.

Her primary project was a comprehensive market study in France and worldwide. The goal was to identify additional opportunities for our products. This was a difficult task that required patience and perseverance and she did an excellent job.

Julie also used her good computer skills to prepare a number of graphic presentations to illustrate the sales history of our key accounts.

The time that Julie spent with us went quickly. She integrated very easily within our group. It was a pleasure having her. There is no doubt she has an excellent future ahead of her, and we wish her much success. She will be an asset to any organisation.

Sincerely,

Traduction

POUR VALOIR CE QUE DE DROIT

Julie Martin (de l'Université de ...) a été stagiaire chez [nom de l'entreprise] du 1er mars au 14 juillet 2008.

Pendant son stage, Mlle Martin a collaboré à différents projets au sein de notre société et a fait preuve d'un haut degré de professionnalisme et d'enthousiasme.

Son travail principal a consisté en une étude de marché complète menée en France et dans le monde. Son but était d'identifier de nouveaux débouchés pour nos produits. Il s'agissait d'une tâche difficile qui demandait de la patience et de la persévérance et elle a fourni un excellent travail.

Julie a aussi utilisé ses solides compétences en informatique pour préparer plusieurs présentations graphiques illustrant l'historique des ventes de nos comptes clés.

Nous n'avons pas vu le temps passer pendant le stage de Julie. Elle s'est intégrée très facilement dans notre groupe et nous avons eu plaisir à travailler avec elle. Elle a sans aucun doute un brillant avenir devant elle et nous lui souhaitons pleine réussite. Elle constituera un atout pour son futur employeur.

Cordialement.

3. Lettre de recommandation écrite par un supérieur hiérarchique pour un salarié

TO WHOM IT MAY CONCERN

I am writing this reference at the request of Mr Martin who is applying for [job title] with your company.
The information contained in this letter is confidential and should be treated as such. It should not be disclosed to anyone within your company who would not be involved in the hiring decision regarding this individual. Moreover, it should not be disclosed to anyone outside of your company without the written consent of Mr Martin.
Mr Martin has worked in our company since [date] and has held the following positions : [...]. In his most recent position, he had responsibility for [...].
He has successfully developed several [...] plans for our company that have resulted in increased turnover. [Give examples].
Mr Martin is intelligent, dependable and always pleasant to work with. [Give examples].
As [job title], I give Mr Martin my strong professional endorsement, and believe he will be an asset to your business.
If you would like to discuss this further, please feel free to contact me.
Sincerely,

Traduction

POUR VALOIR CE QUE DE DROIT

J'écris cette lettre à la demande de M. Martin qui souhaite se porter candidat au poste de [...] dans votre entreprise.

Les informations contenues dans cette lettre sont confidentielles et doivent être traitées comme telles. Elles ne doivent pas être communiquées à un salarié de votre entreprise qui ne serait pas impliqué dans le processus de recrutement de cette personne. De plus, elles ne peuvent être divulguées en dehors de votre entreprise qu'avec le consentement écrit de M. Martin.

M. Martin travaille dans notre entreprise depuis [date] et a occupé les fonctions suivantes : [...].

À son dernier poste en date, il avait la responsabilité de [...].

Il a mené avec succès plusieurs projets de [...] dans notre entreprise et ces projets nous ont permis d'augmenter notre chiffre d'affaire. [Citer des exemples].

M. Martin est intelligent, fiable et agréable à vivre. [Citer des exemples].

En tant que [fonctions de la personne qui écrit la lettre], je recommande vivement la candidature de M. Martin et je pense qu'il sera un atout pour votre entreprise.

Si vous désirez de plus amples informations, n'hésitez pas à me contacter.

Cordialement.

4

La préparation de l'entretien

I. Mémoriser une offre d'emploi

Si vous répondez à une offre d'emploi, il est essentiel d'en mémoriser les termes clés et d'y faire référence dans la lettre de motivation. Attention, cependant : la convocation à entretien arrive souvent plusieurs semaines après l'envoi d'une candidature et vous risquez d'avoir oublié ces termes dans l'intervalle, surtout si vous avez répondu à beaucoup d'annonces. Il va donc falloir vous pencher à nouveau sur l'annonce pour préparer l'entretien.

Si l'entretien fait suite à une candidature spontanée et que vous ne disposez pas de ce support, cherchez des annonces pour des postes similaires sur Internet. Cela vous donnera une idée précieuse des qualités à mettre en avant.

Prenons un exemple d'annonce fictive où les points les plus importants ont été mis en gras :

MANAGER - BUSINESS DEVELOPMENT AND PLANNING

*The successful candidate for this position will possess at least ten years of broad business experience and a track record of sustained success in senior roles in general management, marketing, and/or product development. He/she ideally will have experience working in a senior role on a corporate staff (e.g., strategic planning, business development, product planning) and potentially will have worked for a strategy consulting firm earlier in his/her career, but will be a **practical, hands-on executive who is comfortable dealing with issues in the field and not a grand strategist or coordinator who develops new ideas that cannot be implemented. International experience including time living abroad will be considered a strong plus.** The ideal candidate will be a high-potential executive possessing the skills and ambition to advance to more senior roles in the company including general management. The successful candidate will possess appropriate education credentials such as an MBA or advanced technical degree.*

Ici, l'accent est d'abord mis sur l'esprit pratique du candidat, son aptitude à traiter les problèmes concrets, et, visiblement, l'employeur ne souhaite pas rencontrer des postulants qui soient de purs théoriciens, brassant de grandes idées impossibles à mettre en œuvre. Dès lors, vous allez devoir inclure dans votre argumentaire de nombreux exemples de situations de travail passées et de réalisations chiffrées qui prouveront que, grâce à votre pragmatisme, vous êtes l'homme ou la femme de la situation.

Il est également fait mention d'expérience internationale et de vie à l'étranger. Donnez par conséquent un coup de projecteur à cet élément dans votre CV, qu'il s'agisse d'un poste à l'étranger ou également de stages, de séjours linguistiques, d'échanges Erasmus ou de voyages qui prouveront votre adaptabilité à un environnement international.

II. Savoir utiliser Internet

1. Savoir utiliser Internet pour obtenir des renseignements sur l'organisme qui vous recrute

Bien sûr, plus l'entreprise qui recrute est grande, plus vous trouverez facilement des informations à utiliser pendant l'entretien (site de l'entreprise, revue de presse, blogs de salariés, etc.). Pensez également à visiter les sites des sociétés concurrentes pour comparer leurs stratégies, à vous tenir au courant de l'actualité d'un secteur d'activité, etc. Sachez aussi qu'il existe des sites comme **wetfeet.com** (en anglais) qui communiquent des avis de salariés sur leur entreprise et des sites comme **stagescritics.com** (en français) où les stagiaires évaluent l'entreprise qui les a accueillis. Il faut consacrer à toutes ces recherches suffisamment de temps pour mémoriser autant de faits que possible et se forger une vision personnelle de l'entreprise et de son environnement.

Prenons l'exemple concret de l'entreprise Danone : en tapant ce mot clé dans **www.google.com**, vous êtes d'abord renvoyé au site de l'entreprise, puis au site **http://wikipedia.org** qui vous fournira une description approfondie de la société et de son histoire (les informations sont disponibles dans plusieurs langues : il suffit de cliquer sur celle de son choix). Vous accéderez aussi à un lien avec **http://www.boursorama.com** qui vous fournira des informations détaillées en français sur le cours de l'action Danone, les activités de l'entreprise (rubrique Société) et toute l'actualité financière du groupe (rubrique Actus). Pour le même type d'informations en anglais, consultez **http://moneycentral.msn.com/home.asp**. Enfin, Google vous donne d'autres pistes à explorer dans la rubrique « Recherches apparentées à », et vous renvoie notamment à des informations concernant la concurrence (Unilever, Nestlé, etc.).

Nous verrons à la fin du § 2 comment exploiter un point capital de la communication d'une entreprise : le *mission statement*, à savoir la charte de la société.

2. Savoir utiliser Internet pour formuler des réponses authentiques en anglais

Il va de soi que les recherches entreprises sur Internet pour rédiger un CV de qualité vous aideront aussi à formuler des arguments pertinents le jour de l'entretien. Il est donc impératif de lire les pages 57 à 63 du présent ouvrage afin de savoir comment obtenir et exploiter au mieux des informations en anglais sur un profil de poste, sur les qualités requises dans tel ou tel emploi, sur les plans de carrière possibles, sur les salaires proposés par fonction, etc.

Rappelons simplement que ce type d'informations peut être trouvé par exemple sur les sites suivants :

http://www.cv-resume.org
http://jobsearch.about.com
http://www.quintcareers.com
http://www.jobbankusa.com/
http://www.vault.com
http://www.ritesite.com/JobDatabase
http://hotjobs.yahoo.com/job

Les trois exemples suivants illustrent de façon concrète comment on peut utiliser Internet pour affiner sa réflexion et aboutir à une formulation authentique en anglais.

Exemple 1

Parler de ses qualités, de ses défauts et de ses sources de motivation avec précision nécessite de bien se connaître soi-même. Il existe sur Internet d'excellents sites de *behavioural profiling* qui vous permettent de déterminer gratuitement votre profil psychologique.
On peut notamment conseiller celui de MCS :

http://www.crisp-mcs.com/index.cfm/hrsoftware/P3.Demo

La rubrique *candidate profile* comprend une batterie de questions auxquelles vous devrez consacrer une dizaine de minutes (en répondant honnêtement bien sûr !) et vous recevrez immédiatement après un profil en deux pages qui vous fournira de précieux arguments à utiliser pendant l'entretien.
Pour un profil donné, on obtient par exemple la description suivante dans le paragraphe intitulé *Primary Motivators* (Facteurs de motivation principaux) :
« *You tend to be motivated by a great deal of interaction with people, and by identifying with a prestigious organization with a good public image. You desire opportunities to make more money for yourself, or to improve your status within the organization. You are motivated by praise, public recognition, and by acceptance. You are most productive when working as a team player, and when you are liked by others.* » (Vous avez tendance à être motivé par une interaction forte avec les autres et une identification à une organisation prestigieuse qui bénéficie d'une bonne image. Vous recherchez les opportunités qui vous permettront de gagner plus d'argent ou de progresser au sein de l'entreprise. Vous êtes motivé par les compliments, la reconnaissance et l'intégration au groupe. Vous êtes particulièrement efficace quand vous travaillez en équipe et quand vous êtes apprécié des autres.)
Cette description permet de répondre parfaitement à la question suivante :
What motivates you to put forth your greatest effort ? (Qu'est-ce qui vous motive à faire de votre mieux ?)

Un test de personnalité moins détaillé mais permettant de recouper et de préciser les informations précédentes est le *Mental Muscle Diagram Indicator*™ que l'on trouve sur le site **http://www.teamtechnology.co.uk/mmdi-re/mmdi-re.htm**.

Ce test classe les candidats par type de personnalité et on obtient par exemple la description suivante pour un individu :

« *ESFPs direct their energy towards the outside world of actions and spoken words. They get things done, and get them done quickly, and they prefer doing things with and for people. They seek to live life to the full. They enjoy solving urgent problems, such as fire-fighting or trouble-shooting.* » (Les individus de type ESFP consacrent leur énergie aux actions et aux paroles du monde réel. Ils s'arrangent pour que les choses se fassent et se fassent rapidement. Ils préfèrent agir avec les autres et pour les autres. Ils cherchent à vivre leur vie pleinement. Ils aiment résoudre des problèmes urgents, par exemple en apportant une solution à une crise ou en jouant un rôle de médiateur.)

Exemple 2

Prenons l'exemple d'une ligne de votre CV que vous souhaitez mettre en valeur lors de l'entretien. Vous êtes étudiant et vous voulez relater votre expérience de moniteur de colonie de vacances :

Tapez le mot clé *camp counselor* dans un moteur de recherche du type **www.google.com** :

Vous êtes dirigé notamment vers des offres d'emploi comme celles de **http://www.campchannel.com** :

Dans la rubrique *job board*, vous pouvez consulter différentes annonces et faire des copier-coller jusqu'à ce que vous ayez assez de matière pour expliciter ce que cette expérience vous a apporté, en sélectionnant bien sûr des arguments qui collent vraiment à votre personnalité et à la réalité de ce que vous avez fait.

Dans les trois extraits copiés-collés suivants, les expressions les plus intéressantes ont été mises en gras :

« *Camp C. is looking for **responsible and caring leaders** with the ability to bring their individual skills and **positive attitudes** to our summer staff family. Camp Staff are **role models** for every camper, and the attributes of **Safety, Acceptance, Achievement**, Adventure, Growth and Friendship are **reflected in everything we do.*** »

« *Staff who work with our programs leave after just one summer with so many skills that would take years to develop in a regular job – **leadership, team building, conflict resolution, problem solving, project management**, and outstanding **organizational skills** – along with a professional reference. The more intangible benefits are the friendships that you will make and the knowledge that you are truly **making a difference in the lives of these kids** who would never be able to have this wonderful opportunity without you.* »

« *By spending a summer at W., college students can **hone critical skills**, such as team leadership, **workplace camaraderie**, event planning, people and project management, **self-discipline** and organization that will continue to benefit them no matter what their chosen career path. Successful counselors are those who possess a genuine love for children, have sufficient knowledge to teach in at least one of our many skill areas and a desire to **spend the summer in the out of doors**.* »

Vous allez ensuite pouvoir bâtir votre propre argumentaire en disant par exemple :

In 2007, I worked for two months as a summer camp counselor with children aged 8 to 10. First, it taught me self-discipline because I had to get up early every morning and spend around 8 hours a day outdoors. In addition, I really loved helping children to solve problems and conflicts, reach their aims and sometimes accept failure. To succeeed as a camp counselor, you have to be responsible and caring. You also learn how to get organized and manage projects. To sum up, it really helped me develop skills that will benefit me in my career. (En 2007, j'ai travaillé pendant deux mois en tant que moniteur de colonie de vacances avec des enfants âgés de 8 à 10 ans. D'abord, cela m'a appris à m'autodiscipliner parce que je devais me lever tôt chaque matin et passer environ huit heures par jour dehors. Ensuite, j'ai vraiment aimé aider les enfants à résoudre leurs problèmes et leurs conflits, à atteindre leurs objectifs et parfois à accepter l'échec. Pour réussir en tant que moniteur de colonie, il faut être responsable et faire preuve d'empathie. On apprend aussi à s'organiser et à gérer des projets. En résumé, cela m'a vraiment aidé à développer des compétences qui me seront précieuses au cours de ma carrière.)

Exemple 3

Il est à la mode pour une société d'énoncer son *mission statement* ou charte d'entreprise, à savoir la mission qu'elle s'est fixée, comprenant notamment les valeurs qu'elle défend *(corporate values)* et les relations qu'elle souhaite instaurer avec ses salariés, ses fournisseurs et ses clients. Plusieurs questions de l'entretien tourneront probablement autour de ce thème, comme par exemple :

What corporate values matter most to you ? (Quelles sont les valeurs d'entreprise qui sont les plus importantes à vos yeux ?)

What do you know about our company ? (Que savez-vous de notre entreprise ?)

What do you think determines an employee's progress in a company such as ours ? (D'après vous, qu'est-ce qui détermine la progression d'un salarié dans une entreprise comme la nôtre ?)

What do you think of our product/services ? (Que pensez-vous de nos produits / de nos services ?)

What is the worst thing you have heard about our company ? (Quelle est la pire chose que vous ayez entendue au sujet de notre entreprise ?)

What research have you done on our firm and industry ? (Quelles recherches avez-vous effectuées au sujet de notre entreprise et de son secteur d'activité ?)

What would be your ideal working environment ? (Décrivez-nous votre environnement de travail idéal.)

Il est donc nécessaire d'avoir réfléchi en amont aux valeurs que vous souhaitez trouver dans votre environnement professionnel et de les confronter avec la charte de l'entreprise si elle existe.

En tapant les mots clés *mission statement* et *corporate values* (et en les associant ou non au nom de l'entreprise qui vous recrute) dans un moteur de recherche comme **www.google.com**, vous allez obtenir un grand nombre d'exemples.

Voici quelques valeurs fréquemment évoquées :

— *customer satisfaction ;*
— *customer focus ;*
— *job satisfaction ;*
— *leadership ;*
— *a performance-enhancing work dynamic ;*
— *integrity (setting high ethical standards, honouring commitments, treating everyone fairly and with trust and respect) ;*
— *quality ;*
— *teamwork ;*
— *good corporate citizenship (providing a safe workplace, protecting the environment, being socially responsible, working with communities) ;*
— *innovation ;*
— *continuous learning ;*
— *increasing shareholder value ;*
— *participatory workplace (expecting initiative from lower levels, trusting employees and having high expectations of them) ;*
— *proactive communication (anticipating clients' and employees' needs both now and in the future) ;*
— *creativity ;*
— *constructive self-criticism.*

À vous de sélectionner parmi ces valeurs et d'autres celles qui vous **tiennent** le plus à cœur et de les confronter ensuite avec celles défendues par l'entreprise qui vous recrute.

3. Savoir utiliser Internet pour améliorer sa prononciation

Il existe une solution simple et peu coûteuse pour améliorer rapidement sa compréhension orale et sa prononciation de l'anglais. Il s'agit d'écouter régulièrement des documents sonores via Internet (pour les enregistrer, faites un clic droit sur « enregistrer la cible sous ») et de les transférer éventuellement sur un lecteur MP3/MP4 pour pouvoir les écouter librement.

La méthode la plus efficace consiste en quatre étapes :

— écouter deux ou trois fois un même document ;
— faire l'inventaire de ce qu'on a compris ;
— lire le script proposé pour compléter la compréhension ;
— enfin et surtout, lire plusieurs fois à haute voix le document en même temps qu'on l'écoute afin de corriger au maximum ses lacunes en prononciation et intonation.

Les sites :

— anglaisfacile **(http://www.anglaisfacile.com/cours-audios.php)** ;
— voanews **(http://www.voanews.com/specialenglish/index.cfm)** et
— OMpersonal **(http://www.ompersonal.com.ar** rubrique TUTORIALES DE
  LISTENING : CONVERSACIONES) sont très bien conçus. OMpersonal est à la base
  un site espagnol et il nécessite de s'inscrire gratuitement, mais ces démarches
  sont faciles à effectuer, même quand on ne parle pas espagnol !

Prenez également le temps de vérifier la prononciation des mots difficiles.
Il suffit pour cela d'utiliser un dictionnaire en ligne comme

— **http://encarta.msn.com/encnet/features/dictionary/dictionaryhome.
  aspx**

ou

— **http://www.howjsay.com**

et de cliquer sur l'icône haut-parleur.

Enfin, pensez à hésiter d'une façon authentique, en bannissant le « euh » français au
profit d'interjections telles que : *hmm, uh* ou *er* (vérifiez préalablement la prononciation
de ces trois interjections sur un dictionnaire en ligne comme www.answers.com) :

« *Hmm. I'm not sure.* »

« *Uh... I don't know the answer to that.* »

« *Last year, our turnover was... er... 2 billion dollars.* »

Vous pouvez également utiliser *well* pour traduire « eh bien » :

« *Well, you know, I've travelled extensively.* »

III. Les tests de recrutement

80 % des entreprises utilisent les tests psychométriques pour compléter leur évaluation des candidats. Il est donc indispensable de se préparer à ce genre d'épreuve, notamment en effectuant des tests d'entraînement sur Internet. Il existe également de nombreux ouvrages de préparation que l'on peut acquérir ou emprunter dans les bibliothèques universitaires ou les agences pour l'emploi.

Les tests psychométriques appartiennent à deux grandes catégories : les tests de personnalité et les tests d'aptitude intellectuelle. Vous trouverez ci-après une explication sommaire de ce que recouvrent ces différents tests.

Les deux sites suivants offrent une large batterie de tests à effectuer gratuitement et des explications détaillées de ce qui sous-tend les différents types de tests utilisés par les recruteurs :

http://www.psychometric-success.com/
http://www.kent.ac.uk/careers/psychotests.htm

1. Les tests de personnalité

Les tests de personnalité visent à mesurer le degré de performance du candidat dans les domaines suivants : esprit d'équipe, sociabilité, capacité de travail, sens de l'organisation, résistance au stress, réalisme et créativité. Ils se présentent en général sous la forme de questionnaires où l'on vous propose plusieurs traits de caractère et l'on vous demande de choisir celui qui vous définit le mieux. Il est primordial de répondre en toute franchise à ces tests car les questions se recoupent fréquemment pendant le temps (parfois long) imparti au test et le fait de mentir à certaines questions mènerait fatalement à un profil psychologique incohérent.

Ce type de test a été évoqué dans le § II de ce chapitre.

2. Les tests d'aptitude intellectuelle

Ces tests évaluent les candidats dans 6 catégories :

— raisonnement verbal (orthographe, grammaire, vocabulaire, capacité à suivre des instructions écrites).

Exemple

La salle de cours est à l'enseignant ce que le tribunal est :
A) à l'accusé   B) au juge   C) au policier   D) au témoin

(Réponse : B)

— raisonnement numérique (mathématiques, logique).

Exemple

15 % de 300 =
A) 20   B) 45   C) 200   D) 450
(Réponse : B)

— raisonnement logique (analyse de diagrammes, suite de dominos, suite de figures, etc.).

Exemple

Complétez la série de dominos :
A) 1-6   B) 3-5   C) 2-4   D) 4-3   E) 3-2   F) ...-...
(Réponse : 5-1)

— raisonnement spatial (capacité à raisonner sur des figures géométriques, fréquemment en 3 dimensions).

Exemple

Trouvez les deux séries de symboles identiques :
A)   ♋✳♏□♦⊠♦   B)   ♋✳♏□✵⊠♦   C)   ♋✳♏□♦⊠♦
D) ♋✳♏✵♦⊠♦   E) ♋✳□□♦⊠♦
(Réponse : A et C)

— raisonnement mécanique (connaissances de base en géométrie et en physique : levier, poulie, électricité).

Exemple

Quelle est la longueur de l'hypoténuse (BC) d'un triangle ABC rectangle en A si AB = 4 et AC = 3 ?
A) 3   B) 4   C) 4,5   D) 5   E) 6
(Réponse : D (théorème de Pythagore))

— vérification de données (confrontation de données visant à identifier des incohérences ou des similitudes).

Exemple

Trouvez les deux codes identiques :
A) Ibhgj2783   B) IbhgJ2783   C) Ibhgj2183   D) Ibhgj2783
E) Ibhgi2783
(Réponse : A et D)

Les tests d'aptitude intellectuelle sont effectués en temps limité : il faut répondre à un maximum de questions pour avoir un bon score, d'où l'intérêt de se préparer pour acquérir une bonne rapidité de raisonnement (pourcentages, suites de dominos, etc.)

IV. Se préparer efficacement

Se préparer efficacement à un entretien, c'est d'abord évacuer au maximum les facteurs de stress. Les plus faciles à combattre sont ceux qui relèvent de l'organisation matérielle (voir 1 ci-dessous). Quant à la préparation psychologique de l'entretien, elle passe par une bonne connaissance de soi et une réflexion solide menée sur toutes les questions potentielles listées dans le chapitre V.

1. Organisation matérielle

Image

— Prévoyez une tenue vestimentaire adaptée (mieux vaut être vêtu de façon trop formelle que trop décontractée, mais choisissez tout de même des vêtements dans lesquels vous vous sentez à l'aise).
— Préparez vos vêtements à l'avance. Il serait dommage de découvrir au dernier moment qu'il manque un bouton à votre chemise ou que vos chaussures ne sont pas cirées.
— Veillez à ce que vos dents soient brossées et vos cheveux propres et bien coiffés...

Ponctualité

— Repérez les lieux de l'entretien à l'avance et faites en sorte d'arriver avec dix minutes d'avance (mais pas plus).

Matériel

— Emportez un cartable avec quelques feuilles de papier, des stylos pour prendre des notes, votre CV et éventuellement quelques cartes de visite.

2. Préparation psychologique

Vous serez armé psychologiquement si :
— vous vous connaissez bien (cf. chap. 4, § II, exemple 1) ;
— vous maîtrisez les techniques des tests de recrutement (cf. chap. 4, § III) ;
— vous avez accumulé autant de connaissances que possible sur l'entreprise qui vous reçoit (cf. chap. 4, § I et II, exemple 3) ;
— vous avez cerné les attentes de l'entreprise (cf. chap. 4, § I et II) et listé vos atouts en parallèle ;
— vous avez préparé suffisamment d'anecdotes liées à des situations de travail passées afin d'étayer vos propos (cf. chap. 5, § IV et V et chap. 6) ;
— vous êtes prêt à contrer les critiques de vos interlocuteurs et à éviter les pièges tendus (cf. chap. 5 et 6).

5

Réussir l'entretien : conseils essentiels

Ces conseils sont présentés pour la plupart à l'aide de titres faciles à mémoriser. Il est fort utile de les lister sous forme de grille et les soumettre à un proche qui jouera le rôle du recruteur en vous posant des questions et en contrôlant que ces points sont maîtrisés.

I. Connais-toi toi-même

Répétons-le une dernière fois : un entretien réussi repose sur une excellente connaissance de soi. N'hésitez pas à interroger vos proches, vos collègues ou vos professeurs sur ce qu'ils pensent de vous et répondez à un ou plusieurs test(s) psychologique(s) pour parfaire cette connaissance (voir chap. 4, § II 2, exemple 1).

Non seulement cette phase d'introspection vous aidera à bien répondre, mais elle transparaîtra également dans votre attitude globale : vous apparaîtrez comme quelqu'un de mûr et de réfléchi. Il n'y a rien de pire pour un recruteur qui vous demande par exemple quelles sont vos qualités et vos défauts que de constater que vous n'avez jamais songé à la question !

II. Œil et main (communication non verbale)

La communication non verbale est essentielle en entretien, ce pour deux raisons au moins :

— c'est le premier critère que le recruteur va appréhender pour se faire une opinion de vous, avant même que vous ayez parlé ;

— le recruteur est à l'affût de tous les paramètres permettant de vous juger et celui-ci doit concorder avec le reste de votre message (assurance, conviction, etc.).

Par conséquent, vous devez :

— veiller à toujours regarder votre interlocuteur dans les yeux. Si cela vous pose vraiment problème, regardez ses sourcils... ;
— donner une poignée de main ferme à votre interlocuteur. Contrôlez aussi le mouvement de vos mains pendant l'entretien : elles doivent être posées sur la table (jamais en dessous) sans être crispées, et peuvent éventuellement vous aider à illustrer vos propos, mais sans emphase.

Enfin, tenez-vous droit sans être raide et ne gesticulez pas sur votre chaise ! Et si le recrutement se déroule sur un laps de temps suffisamment long pour inclure un repas, choisissez des mets faciles à manger (bannissez les fruits de mer à décortiquer ou les spaghettis en sauce...) et ne relâchez ni votre maintien, ni votre langage, ni votre attention pendant le repas.

III. Le plan PEA

L'acronyme PEA désigne d'habitude un plan d'épargne en actions. Sachez faire fructifier le vôtre pendant l'entretien en tablant sur trois valeurs clés : soyez POSITIF, ENTHOUSIASTE, ATTENTIF.

Être POSITIF, c'est tourner les anecdotes que vous relatez à votre avantage sans pour autant tomber dans le piège d'un excès de vantardise. N'oubliez jamais que chacune de vos réponses doit avoir une *happy end*. Même quand vous devez décrire une situation de conflit ou un échec, expliquez toujours comment, en dernier ressort, vous en avez tiré un enseignement PO-SI-TIF !

Être ENTHOUSIASTE, c'est sourire et montrer sans relâche votre envie de convaincre et de décrocher le poste.

Être ATTENTIF, c'est montrer par votre regard et votre acquiescement que vous écoutez attentivement votre interlocuteur, même si l'entretien est long ou que plusieurs entretiens se succèdent.

IV. Pavlov

Votre comportement passé est le meilleur indicateur du comportement que vous adopterez dans le futur. Bien sûr, le recruteur n'agitera pas de clochette pour vérifier vos réflexes pavloviens, mais il va forcément vous poser des questions du type

« Décrivez une situation passée au cours de laquelle... ». Il vous faut d'ores et déjà préparer des anecdotes, aussi souvent que possible liées à des situations de travail, en réponse à ce type de question. Vous verrez au chapitre 6 à quelles questions il faut s'attendre et quelles sont les réponses à formuler. Le § V, intitulé S-A-R, vous fournira des astuces de base.

La meilleure technique à utiliser pour avoir une quantité suffisante d'anecdotes à fournir consiste à reprendre toutes les lignes de son CV et à lister les enseignements positifs que chaque expérience vous a apportés (études, emplois, job d'étés, stages, volontariat, etc.). Faites ensuite de même avec les étapes clés de votre vie privée (décisions, voyages, loisirs, etc.).

Sachez également que dans la plupart des cas, se contenter de répondre par oui ou par non à une question n'est absolument pas suffisant. Lorsque l'on vous demande par exemple si vous êtes capable de travailler dans une situation de stress, il faut non seulement répondre par l'affirmative mais aussi fournir une anecdote qui le prouve.

Comme le disent les Américains : *« Show, don't tell. »* que l'on pourrait paraphraser ainsi : « Ne vous contentez pas de dire les choses : illustrez-les d'exemples. »

V. S-A-R : *Son Altesse Réussite*

Ces trois lettres doivent vous aider à répondre de façon pertinente à toutes les questions évoquées ci-dessus : on vous demande de décrire une situation où vous avez été confronté à un conflit de personnes, un retard de livraison, un échec personnel, un projet réussi, etc.

Vous devez toujours répondre en évoquant de façon concise :

— la **s**ituation de départ (S) ;
— l'**a**ction positive que vous avez entreprise pour réussir ou pour surmonter un problème (A) ;
— le **r**ésultat positif atteint (R).

Voici un exemple concret d'application du S-A-R :
Question posée par le recruteur :
« Give me an example of one of your successful accomplishments. » (Donnez-moi un exemple de projet que vous avez réalisé avec succès)

Réponse du candidat :
« Here's how I implemented a new staff incentive scheme to improve overall business performance :
(SITUATION :)
We had a basic bonus scheme in place, but staff consultation revealed that employees rarely achieved the bonuses and had lost faith in the system.

(ACTION :)
We decided to start again from scratch, taking into account staff feedback and lessons learnt from the old scheme. My team brainstormed ideas for a new incentive scheme to motivate staff, encourage teamwork and improve business performance.
The key to the new scheme was introducing quarterly, rather than annual, bonuses.
We also changed the bonus award criteria and included a personal target for each employee.
(RESULT :)
In the current financial year, we've exceeded both turnover and profit targets. We've also been surprised at how much the new scheme has boosted team spirit. »

Voici comment j'ai mis en place un nouveau système de rémunération du personnel pour améliorer la performance globale de l'entreprise.
(SITUATION :)
Nous avions un système de primes standard, mais la consultation du personnel avait révélé que les salariés réussissaient rarement à obtenir les primes et n'avaient plus foi en ce système.
(ACTION :)
Nous avons décidé de tout reprendre à zéro, en prenant en compte les commentaires du personnel et en tirant les enseignements de l'ancien système. Mon équipe a réalisé un *brainstorming* pour aboutir à un nouveau système de motivation qui stimule les salariés, encourage le travail d'équipe et améliore les performances de l'entreprise.
La clé de voûte du nouveau dispositif a été l'introduction de primes trimestrielles plutôt qu'annuelles. Nous avons aussi changé les critères d'attribution des primes et intégré un objectif personnel pour chaque employé.
(RÉSULTAT :)
Au cours du présent exercice, nous avons dépassé à la fois les objectifs de chiffre d'affaire et les objectifs de marge bénéficiaire. Nous avons aussi été surpris de constater à quel point le nouveau système a stimulé l'esprit d'équipe.

VI. *Pragmatisme en toutes circonstances*

« *Think on your feet* », comme le disent les anglophones : gardez les pieds sur terre, soyez réactif, faites preuve de bon sens et sachez rebondir.
Ce conseil vaut d'abord pour les devinettes du type « Combien y a-t-il de voitures aux États-Unis ? ». Personne n'est omniscient donc vous avez le droit de fournir une réponse erronée à condition d'avoir construit un raisonnement logique pour y parvenir.
Ce conseil vaut aussi pour les questions saugrenues du type « Racontez-moi une histoire » ou « Faites-moi rire ». Si vous avez l'impression que le recruteur est en train de vous « mener par le bout du nez », n'hésitez pas à lui demander poliment quel est

le but de sa question. Vous trouverez un exemple concret de ce cas de figure au chapitre 6, § VI, question 24, p. 131.

Le recruteur appréciera également votre pondération si vous dites : *« Do you mind if I take a minute to collect my thoughts ? »* (Permettez-vous que je prenne une minute pour réfléchir ?) plutôt que de vous lancer dans une réponse décousue ou illogique. Vous êtes également en droit de demander des précisions si vous ne comprenez pas le but de la question. Dans ce cas, dites : *« I'm not sure what kind of information you'd like me to provide here. Can you be more specific ? »* (Je ne suis pas sûr du type d'information que vous souhaitez obtenir. Pouvez-vous préciser cette question ?)

Ce conseil vaut enfin pour les éventuelles lacunes de vocabulaire auxquelles vous seriez confronté pendant un entretien en anglais. Si le recruteur vous demande par exemple : *« What is your greatest shortcoming ? »* et que vous ne connaissez pas le mot *shortcoming*, dites simplement *« Would you mind explaining the word shortcoming ? »* plutôt que d'ouvrir de grands yeux et de rester muet !

VII. *« Honesty is the best policy »*

Toute la difficulté de l'entretien réside dans l'équilibre à trouver entre des réponses qui révèlent pleinement vos qualités et vos aptitudes et l'absence d'exagération ou de mensonge.

N'hésitez pas à vous vendre mais ne mentez jamais. C'est d'abord une question d'éthique personnelle, mais il y a aussi trois bonnes raisons pour ne pas le faire :

— en cas d'entretien long ou d'entretiens successifs, la fatigue aidant, il y a de fortes probabilités pour que vous vous trahissiez si le recruteur cherche à recouper une information qui était fausse ;

— les recruteurs peuvent vérifier des points de votre CV auprès de vos employeurs passés ;

— enfin, n'oubliez pas que si vous vous êtes fait passer pour quelqu'un que vous n'êtes pas et qu'on a cru bon de recruter cette personne, le poste risque fort de ne pas vous convenir au final !

Tout cela étant dit, je ne vous conseille pas pour autant la pratique de l'autoflagellation. Les anglophones disent *« Never volunteer a deal-killer weakness »*, qu'on pourrait traduire approximativement par « Ne donnez pas des verges pour vous faire battre ». Si vous êtes persuadé de correspondre au poste, n'allez pas détruire vos chances en avouant un défaut qui risque de vous disqualifier ou en critiquant maladroitement un aspect de l'entreprise qui vous accueille.

VIII. Discrétion

Ne dénigrez pas votre employeur actuel ou passé : cela donne une image négative de vous plutôt que de lui.

Ne divulguez pas d'informations confidentielles sur les entreprises où vous avez travaillé : votre employeur potentiel pensera immédiatement qu'un jour c'est lui que vous trahirez...

IX. Trop de préparation tue la préparation

Ce conseil repose sur un paradoxe : un entretien réussi est un entretien parfaitement préparé pendant lequel le recruteur n'a pas l'impression que vous vous êtes préparé...

Il n'y a rien de pire que des réponses qui ont l'air « récitées ». Ayez des exemples précis en tête mais pas de phrases « préfabriquées » !

X. Un candidat nommé D-E-S-I-R

Les enquêtes menées auprès des dirigeants d'entreprise et des chasseurs de têtes montrent que les qualités les plus recherchées chez un cadre sont les suivantes :

— **D**évouement (il faut être prêt à fournir le petit « plus » *(going the extra mile)* en termes d'investissement personnel qui permettra à l'entreprise de gagner) ;
— **E**nthousiasme (il faut être motivé et savoir motiver les autres) ;
— **S**ociabilité (il faut être à l'écoute des autres et avoir l'esprit d'équipe) ;
— **I**ntelligence (il faut pouvoir inventer des solutions astucieuses et avoir le sens des affaires) ;
— **R**igueur (il faut être organisé et capable de planifier les tâches).

XI. La vie est longue

Pour finir, évoquons brièvement deux cas de figure (plutôt agréables en apparence) où vous risqueriez à tort de faire preuve de désinvolture :

— imaginons d'abord l'hypothèse dans laquelle vous avez obtenu plusieurs entretiens d'embauche. Vous vous rendez à celui concernant le poste qui vous tente le moins. Ne faites pas pour autant preuve d'arrogance ou de nonchalance voilée : la vie est longue et si un poste plus convoité vous échappe en dernier ressort, vous serez peut-être ravi d'accepter ce poste-là. Et puis, à l'heure des fusions généralisées, le DRH que vous auriez snobé hier pourrait demain redevenir votre interlocuteur ;

— dans le même registre, la moindre des politesses est de toujours accuser réception d'un courrier de convocation à un entretien d'embauche, même s'il s'agit de se désister, et *a fortiori* de prendre le temps de téléphoner à un recruteur à l'issue du processus de recrutement pour décliner une offre d'emploi ferme si vous avez trouvé mieux ailleurs dans l'intervalle.

XII. Le cas spécifique de l'entretien de groupe (Group interview)

De plus en plus de recruteurs utilisent cette technique avant ou après un entretien individuel, dans le but de mettre mieux en lumière les compétences ou les lacunes d'un candidat. Les deux scénarios les plus utilisés sont :

— la discussion de groupe : on propose aux candidats un sujet commun du type « La mondialisation est-elle bénéfique ? » ou bien « Comment peut-on lutter contre le terrorisme ? », ou alors on attribue une mission différente à deux sous-groupes antagonistes et au bout du temps imparti, on inverse les rôles (exemple : « défendre ou condamner la légalisation des drogues douces ») ;

— l'étude de cas liée à une situation de travail concrète. Attention, dans ce cas de figure, même si on ne vous le dit pas, vous n'aurez pas forcément le même *brief* que les autres candidats (dans le cas d'un lancement de produit, vous pouvez avoir la mission de minimiser les coûts alors qu'une autre personne devra proposer un budget marketing ambitieux).

Les deux principes à garder à l'esprit quel que soit le thème de l'entretien de groupe sont les suivants :

— vous devez mettre vos qualités en évidence ;

— vous devez jouer un rôle de leader et aider le groupe à réussir l'exercice.

Voici d'autres conseils qui vous aideront à réussir :

— oubliez complètement la présence des « examinateurs » ;

— essayez d'être celui qui ouvre le débat et qui le conclut ;

— sachez apporter des arguments décisifs, relancer le débat, faire aboutir la discussion à un consensus ;

— gardez le timing en tête pour aider le groupe à ne pas s'appesantir sur un point de détail et pour couvrir l'essentiel de la problématique dans le temps imparti ;

— sachez faire des compromis, restez toujours poli ;
— préférez la pertinence de vos propos à leur quantité ;
— aidez les personnes les moins à l'aise à exprimer leur avis.

Les paramètres sur lesquels le jury vous notera sont les suivants :

— esprit d'analyse et de synthèse ;
— logique ;
— capacité à résoudre les problèmes ;
— esprit d'équipe ;
— créativité ;
— respect d'autrui.

Si vous savez que vous allez subir ce type d'entretien dans un avenir proche, il sera fort utile d'organiser une simulation avec des amis ou des membres de votre famille, en désignant deux juges-recruteurs (qui vous imposeront le sujet et vous écouteront ensuite) et quatre à six candidats.

XIII. Le cas spécifique de l'entretien avec un jury de recruteurs (Panel job interview)

Les conseils développés ci-dessus et au chapitre 6 valent autant pour l'entretien avec un seul recruteur qu'avec plusieurs. Face à un jury composé de plusieurs personnes, il faut simplement tenir également compte des deux points suivants :

— chaque juré compte. Regardez en priorité celui qui vous pose une question mais balayez également du regard toute l'assemblée pendant toute la durée de l'entretien ;
— il est possible que certains jurés soient plus agréables que d'autres, mais il peut s'agir là d'un jeu de rôle : ne vous laissez pas déstabiliser par cette technique du *good cop / bad cop* chère à tant de séries policières américaines : c'est peut-être le « méchant flic » qui soutiendra votre candidature au final !

6

Réussir l'entretien : questions/réponses

Ce chapitre a d'abord pour but de lister les questions les plus fréquentes posées lors d'un entretien. Les questions sont énoncées en anglais et systématiquement traduites en français. Des réponses aux questions clés sont énoncées dans les deux langues.

Remarque : Il n'y a pas de rubrique spécifique consacrée à l'entretien de sélection permettant à un étudiant d'accéder à un programme d'études dans une université ou une grande école. La démarche doit être la même que celle entreprise pour réussir un entretien d'embauche :

— collecter un maximum d'informations sur l'établissement en visitant son site internet et en interrogeant des étudiants qui le fréquentent ;
— être capable de dire quelles infrastructures, programmes pédagogiques, cours et projets collectifs vous séduisent ;
— être capable de citer les qualités personnelles que vous allez apporter à l'établissement.

Notez également qu'en général les enseignants/recruteurs perçoivent négativement deux types de candidature :

— celle de l'étudiant qui postule à une seule formation et semble faire preuve d'arrogance ou d'imprévoyance en n'ayant pas envisagé une solution de secours ;
— celle de l'étudiant qui postule à des formations très diverses et ne semble donc pas avoir mûri son projet de carrière.

L'essentiel des questions posées lors de ce type d'entretien est abordé dans les pages qui vont suivre (forces et faiblesses du candidat, motivation, aptitude à travailler en équipe, activités extra-universitaires passées et présentes, stages effectués, projet professionnel, etc.).

I. Briser la glace

Ça y est, vous êtes dans la place. Il est possible que la personne qui va s'entretenir avec vous commence par des questions superficielles (voir exemples ci-dessous). Il est conseillé d'y répondre brièvement et de façon positive (ne dites pas que vous êtes fébrile ou que vous avez mis une heure à trouver l'entreprise !).

1) *How are you today ?* (Comment allez-vous ?)
   Réponse possible :
   I'm fine, thank you. And you ? (Très bien merci. Et vous ?)

2) *Did you have any trouble finding us ?* (Avez-vous eu du mal à nous trouver ?)
   Réponse possible :
   No. No trouble at all. (Non, aucun problème.)

3) *Isn't this great weather we're having ?* (Nous avons un temps superbe, n'est-ce pas ?)
   Réponse possible :
   Yes, it's very nice. (Oui, c'est très agréable.)

II. Questions relatives à l'entreprise qui recrute et au plan de carrière du candidat

1) *Are you applying for other jobs ?* (Avez-vous posé votre candidature à d'autres postes ?)

2) *Are you willing to put the interests of the organization ahead of your own ?* (Êtes-vous prêt à faire passer l'intérêt de l'entreprise avant le vôtre ?)

3) *Do you feel you are ready to take on greater responsibilities ?* (Avez-vous le sentiment que vous êtes prêt à assumer des responsabilités plus importantes ?)

4) *Do you have a geographic preference ?* (Avez-vous une préférence quant à votre lieu de travail ?)

5) *Do you know anyone who works for us ?* (Connaissez-vous quelqu'un qui travaille chez nous ?)
Remarque : Pratiquez le *name dropping* avec circonspection : assurez-vous au préalable que les personnes que vous citez donnent satisfaction à leur employeur !

6) *Don't you think you are overqualified for this position ?* (Ne pensez-vous pas que vos qualifications sont supérieures à celles requises pour ce poste ?)

7) *Given the investment our company will make in hiring and training you, can you give us a reason to hire you ?* (Étant donné l'investissement que représenteraient votre embauche et votre formation, pouvez-vous nous donner une bonne raison de vous recruter ?)

8) *How do you feel about working overtime ?* (Quelle est votre position concernant les heures supplémentaires ?)

9) *How do your experience and qualifications match up to the job ?* (En quoi votre expérience et vos qualifications correspondent-elles à ce poste ?)

10) *How long would it take you to make a meaningful contribution to our firm ?* (De combien de temps auriez-vous besoin pour apporter une contribution significative à notre entreprise ?)

11) *How long would you expect to work for us if hired ?* (Combien de temps travailleriez-vous pour nous si nous vous embauchions ?)
Réponse possible :
I see myself here as long as we both think that I'm contributing to the success of the company and there is room for growth. (Je me vois travailler ici aussi longtemps que vous et moi estimerons que je contribue au succès de l'entreprise et qu'il y aura des opportunités d'avancement.)

12) *How many hours are you prepared to work ?* (Quel volume horaire êtes-vous prêt à effectuer ?)

13) *How will this job fit in with your career plans ?* (Comment ce poste s'inscrit-il dans votre plan de carrière ?)

14) *Please give me your definition of the position for which you are being interviewed.* (Donnez-moi s'il vous plaît une définition du poste auquel vous postulez.)

15) *Tell me what you know about our company.* (Dites-moi ce que vous savez au sujet de notre entreprise.)

16) *To what extent would you be willing to travel for the job ?* (Dans quelle mesure seriez-vous prêt à effectuer des déplacements dans le cadre de vos fonctions ?)

17) *We have several applicants for this position. Why do you think you are the person we should choose ?* (Nous avons plusieurs candidats pour ce poste. Pourquoi pensez-vous que nous devrions vous choisir ?)
    Réponse possible :

    I feel that you should choose me because I have a track-record of developing ... strategies and successfully implementing ... in my previous positions. I also have a thorough knowledge of ... and my training has given me a broad view of ... . Moreover, as I'm organized, self-motivated and people-oriented, I believe that I will quickly make a contribution to the business and life of the company. (Je pense que vous devriez me sélectionner car mon CV montre que j'ai développé des stratégies de ... et mis en place ... avec succès dans mes postes précédents. J'ai aussi une connaissance approfondie de ... et ma formation m'a donné une vision globale de ... . De plus, comme je suis organisé, motivé et ouvert aux autres, je pense que j'apporterai rapidement une valeur ajoutée aux affaires et à la vie de l'entreprise.)

18) *What additional training or experience will we need to provide you with in order to perform the duties of this position ?* (De quelle formation ou expérience supplémentaire aurez-vous besoin pour mener à bien vos missions ?)

19) *What are two things you wish to avoid in your next position ?* (Citez deux choses que vous souhaitez éviter dans votre prochain poste.)
    Remarque : Citez des points mineurs qui n'auront pas d'incidence sur votre efficacité à ce poste.

20) *What are you seeking in this job that you're not receiving in your current job ?* (Qu'est-ce qui vous manque dans vos fonctions actuelles et que vous recherchez dans votre futur poste ?)

21) *What are your career goals ?* (Quels sont vos objectifs de carrière ?)

22) *What can you contribute ?* (Que pouvez-vous nous apporter ?)
    Réponse possible :
    Voir réponse 17.

23) *What concerns do you have about this job ?* (Quelles sont vos inquiétudes à propos de ce poste ?)
    Réponse possible :
    I have no actual concerns about this job. The position is very attractive and even if I'm aware that I'll have to hone my ... skills, I'm not worried. I'm used to setting high standards for myself and meeting them. (Je n'ai pas vraiment d'inquiétude à propos de ce travail. Le poste est très attrayant et même si j'ai conscience que je devrai parfaire mes

compétences en ..., je ne suis pas soucieux. J'ai l'habitude de me fixer des objectifs ambitieux et de les atteindre.)

24) *What corporate values matter most to you ?* (Quelles sont les valeurs d'entreprise qui sont les plus importantes à vos yeux ?)
Réponse possible :
Voir chap. 4, § II 2, exemple 3, p. 82.

25) *What do you know about our company ?* (Que savez-vous au sujet de notre entreprise ?)

26) *What do you know about the type of work we expect from you ?* (Que savez-vous du type de travail que nous attendons de vous ?)

27) *What do you see yourself doing in five years ?* (Comment vous voyez-vous dans cinq ans ?)
Réponse possible :
Voir réponse 42.

28) *What do you think determines an employee's progress in a company such as ours ?* (D'après vous, qu'est-ce qui détermine la progression d'un salarié dans une entreprise comme la nôtre ?)

29) *What do you think it takes to be successful in this career ?* (Quelles sont, d'après vous, les qualités requises pour réussir dans ce type de fonctions ?)

30) *What do you think of our products/services ?* (Que pensez-vous de nos produits / de nos services ?)

31) *What important trends do you see in our industry ?* (Quelles grandes tendances voyez-vous dans notre secteur ?)

32) *What is our annual turnover ?* (Quel est notre chiffre d'affaire annuel ?)

33) *What is the worst thing you have heard about our company ?* (Quelle est la pire chose que vous ayez entendue au sujet de notre entreprise ?)
Réponse possible :
I've heard that you are a very demanding employer, but I also know that in return, you offer your employees challenging assignments with increasing responsibilities and great training opportunities. It suits me well since I am driven, flexible and hardworking. (J'ai entendu dire que vous étiez un employeur très exigeant, mais je sais aussi qu'en retour, vous offrez à vos salariés des missions passionnantes avec des responsabilités croissantes et de larges opportunités de formation. Cela me convient bien puisque je suis motivé, flexible, et que j'ai une capacité de travail importante.)

34) *What makes you a great candidate for this position ?* (Qu'est-ce qui fait de vous un bon candidat pour ce poste ?)
Réponse possible :
Voir réponse 17.

35) *What qualities do you think the job requires ?* (Quelles sont, d'après vous, les qualités que ce poste demande ?)

36) *What research have you done on our firm and industry ?* (Quelles recherches avez-vous effectuées au sujet de notre entreprise et de son secteur d'activité ?)

37) *What sort of jobs are you considering at the moment ?* (Quels types de poste envisagez-vous à présent ?)

38) *What suggestions do you have for our organization ?* (Quelles suggestions souhaitez-vous nous soumettre ?)

39) *What unique skills or knowledge can you contribute to our company ?* (Quelles compétences ou connaissances uniques pouvez-vous apporter à notre entreprise ?)
   Réponse possible :
   Voir réponse 17.

40) *What would be your ideal working environment ?* (Décrivez-nous votre environnement de travail idéal.)
   Réponse possible :
   I would like to have a job in a company where management sets clear and ambitious objectives for employees, where my colleagues aim to create synergy and where my abilities and accomplishments will be rewarded. (J'aimerais avoir un travail dans une entreprise où la direction fixe des objectifs clairs et ambitieux pour ses salariés, où mes collègues travaillent en synergie et où mes capacités et mes succès seront récompensés).

41) *When can you begin ?* (Quand pouvez-vous prendre vos fonctions ?)

42) *Where do you see yourself in ten years ?* (Comment vous voyez-vous dans dix ans ?)
   Réponse possible :
   In ten years, I intend to have refined my ... skills and climbed the corporate ladder. I also hope I will be working in a challenging environment and helping my company to thrive. (Dans dix ans, je compte avoir développé mes compétences en ... et gravi les échelons de l'entreprise. J'espère aussi que je travaillerai dans un environnement stimulant et que j'aiderai l'entreprise à être florissante.)

43) *Who do you see as our major competitors ?* (D'après vous, qui sont nos principaux concurrents ?)

44) *Why are you interested in this field ?* (Pourquoi êtes-vous intéressé par ce secteur ?)

45) *Why are you interested in this position ?* (Pourquoi êtes-vous intéressé par ce poste ?)

46) *Why do you want to work for this company ?* (Pourquoi voulez-vous travailler pour cette entreprise ?)
   Réponse possible :
   First, I would like to work for this company because it has an excellent image in the business world and I share its corporate values such as customer focus, dynamism and integrity. Clearly, this attracts big clients and high quality work. Examples which spring to my mind are the X deal or the Y budget.
   Second, this position maximizes on both my skills and goals. I will be able to use my knowledge of ... and my practical experience while being committed to meting and exceeding your clients' needs. I also know that there will be opportunity for increased responsibilities if my work matches your expectations. (D'abord, je voudrais travailler pour cette entreprise

car elle a une excellente image dans le monde des affaires et je partage ses valeurs : le souci de mettre le client au centre de ses préoccupations, le dynamisme et l'intégrité. De toute évidence, cela attire des clients importants et des missions de qualité. Les exemples qui me viennent à l'esprit sont la transaction X ou le budget Y.

Ensuite, ce poste correspond parfaitement à mes compétences et mes objectifs. Je pourrai utiliser mes connaissances en ... et mon expérience tout en m'appliquant à répondre aux besoins de vos clients et à aller au-delà de leurs attentes. Je sais aussi que j'aurai l'opportunité de me voir confier plus de responsabilités si mon travail vous satisfait.)

47) *Will you adapt to a small company ?* (Serez-vous capable de vous adapter à une petite entreprise ?)

48) *Would it be a problem for you to relocate ?* (Verriez-vous un inconvénient à être muté ?)

Remarque : Si cela vous pose un problème, dites-le franchement.

III. *Questions relatives au salaire souhaité*

Ce type de question est dangereux : il faut essayer de ne pas formuler d'emblée une somme précise. Vous verrez dans l'exemple traité ci-après comment on peut contourner ce piège.

1) *Do you know how much other companies are paying ?* (Savez-vous quelles sont les rémunérations versées par d'autres entreprises ?)

2) *Tell me about the salary range you're seeking.* (Dites-moi quelle fourchette de salaire vous recherchez.)

3) *What are your salary expectations ?* (Quelles sont vos attentes en termes de salaire ?)
   Réponse possible :
   If you have a salary range in mind for the position, I'll be happy to let you know where I fall, based on my qualifications. (Si vous avez une fourchette de salaire en tête pour ce poste, je vous dirai volontiers où je me situe au vu de mes qualifications.)

4) *What makes you think you are worth this salary ?* (Qu'est-ce qui vous amène à penser que vous méritez ce salaire ?)

5) *Why aren't you earning more at your age ?* (Pourquoi ne gagnez-vous pas plus à votre âge ?)

IV. Questions relatives à la personnalité du candidat

Cette rubrique contient deux types de questions :

— celles clairement liées à vos traits de caractère ;
— celles auxquelles vous pouvez répondre en faisant appel à des exemples tirés de votre vie privée. (Exemple : « Relatez une situation où vous avez dû prendre la parole en public » : vous pouvez évoquer le mariage de votre meilleur ami au cours duquel vous avez fait un discours devant 60 invités.) Rappelez-vous cependant qu'il s'agit d'un choix par défaut : il est toujours préférable de tirer ses exemples de sa vie professionnelle ou étudiante.

Par ailleurs, certaines questions personnelles relèvent du « questionnaire de Proust » ou du « questionnaire de Bernard Pivot ». Afin de préparer des réponses pertinentes et originales, il peut être enrichissant de jouer en famille ou entre amis à répondre à ces questions que vous trouverez facilement sur un moteur de recherche comme Google.

1) *Are you competitive ?* (Avez-vous l'esprit de compétition ?)

2) *Are you creative ? Give me an example of your creativity.* (Êtes-vous créatif ? Donnez-moi un exemple de votre créativité.)

3) *Are you involved in any teams or societies ?* (Appartenez-vous à un club sportif ou une association ?)
   Réponses possibles :
   I play soccer for the university team. We train two evenings a week and have a match every other weekend. It's good fun because it helps keep me fit and I've made a lot of friends at my own university and others as well. I've also had to approach sponsors and explain to them « what's in it for them » to sponsor our team. As a result, I've improved my negotiation skills. (Je joue au football dans l'équipe universitaire. Nous nous entraînons deux soirs par semaine et nous avons un match un week-end sur deux. C'est très sympa parce que ça m'aide à rester en forme et je me suis fait beaucoup d'amis dans ma propre université ainsi que dans d'autres. J'ai aussi dû approcher des sponsors et leur expliquer ce que ça leur apporterait de sponsoriser notre équipe. Par conséquent, j'ai amélioré mes capacités de négociateur.)
   I have been the Financy Student Society's treasurer for two years. My duties include keeping accurate records of our finances, providing and implementing new ideas to increase our budget, and working with the rest of the Executive Board and active members to improve our organization in every possible aspect. I've learned to set priorities and to keep them. I've also learned how to delegate tasks and effectively communicate with people who have very different views. Many of the skills which I've developed over the years are a direct result of my involvement with FSS, and this experience is something that would be impossible to learn in a classroom. (Je suis le trésorier de l'association étudiante Financy depuis deux ans. Mes responsabilités

consistent à tenir nos comptes avec précision, à proposer et à mettre en œuvre de nouvelles idées pour augmenter notre budget, et à travailler avec le reste du comité de direction et des membres actifs pour améliorer notre organisation dans tous les domaines possibles. J'ai appris à me fixer des priorités et à les respecter. J'ai aussi appris comment déléguer et communiquer efficacement avec des gens qui ont des points de vue très différents. Beaucoup des compétences que j'ai développées au fil du temps résultent directement de mon implication dans FSS et cette expérience est quelque chose d'impossible à apprendre dans une salle de classe.)

I have belonged to an investment club for three years. We meet on a regular basis – usually every month – to review our portfolio and to take suggestions from club members regarding new investment opportunities. I like it very much because the decision-making power of the investment club resides in its democracy. Each member brings his or her own education, experience and skills to the group, all of which are used to their fullest when making a decision. Over the last three years, our average annual return has been 8.5 % percent, which is much higher than the CAC40 index ! (J'appartiens à un club d'investissement depuis trois ans. Nous nous rencontrons régulièrement – en général une fois par mois – pour passer en revue notre portefeuille et examiner les suggestions des membres à propos de nouvelles opportunités de placements. J'aime beaucoup ça car le processus de décision du club d'investissement repose sur la démocratie. Chaque membre apporte sa formation, son expérience et ses compétences au groupe, et ces atouts sont utilisés au mieux quand il s'agit de prendre une décision. Sur les trois dernières années, le rendement annuel de notre portefeuille a été de 8,5 %, ce qui est nettement plus élevé que la performance du CAC40 !)

4) *Are you objective in evaluating yourself and others ?* (Êtes-vous objectif lorsque vous portez un jugement sur vous-même ou sur les autres ?)

5) *By providing examples, convince me that you can adapt to a wide variety of people, situations and environments.* (Convainquez-moi à l'aide d'exemples que vous pouvez vous adapter à une grande variété de personnes, de situations et d'environnements.)

6) *Can people trust you with a secret ?* (Peut-on vous confier un secret ?)

7) *Can you describe your long-range objectives ?* (Pouvez-vous décrire vos objectifs à long terme ?)

8) *Can you remember the last time you lost your temper ?* (Vous souvenez-vous de la dernière fois que vous avez piqué une colère ?)
   Réponse possible :
   I sometimes get angry but I never lose my temper. (Je suis parfois fâché mais je ne perds jamais mon sang-froid.)

9) *Define failure.* (Définissez la notion d'échec.)

10) *Define success.* (Définissez la notion de réussite.)

11) *Describe a difficult problem you've had to deal with in your life.* (Décrivez un problème grave auquel vous avez dû faire face dans votre vie.)

12) *Describe a situation in which you were able to use persuasion to successfully convince someone to see things your way.* (Décrivez une situation où vous avez utilisé votre pouvoir de persuasion pour réussir à convaincre quelqu'un de partager votre avis.)

13) *Describe a situation where you found yourself dealing with someone who didn't like you. How did you handle it ?* (Décrivez une situation où vous avez été confronté à quelqu'un qui ne vous appréciait pas. Comment avez-vous géré cela ?)

14) *Describe a situation where you were involved in a leadership role.* (Décrivez une situation où vous avez eu un rôle de leader.)

15) *Describe a situation where your work or one of your ideas was criticised.* (Décrivez une situation où votre travail ou bien l'une de vos idées a été critiqué(e).)

16) *Describe a time when you were faced with problems or stresses that tested your coping skills.* (Décrivez une situation où vous avez dû faire face à des problèmes ou à un stress qui ont mis à l'épreuve votre capacité à les surmonter.)

17) *Describe an instance when you had to think on your feet to extricate yourself from a difficult situation.* (Décrivez un cas de figure où vous avez dû vous montrer pragmatique et réactif pour vous sortir d'une situation difficile.)

18) *Describe what you've accomplished toward reaching a recent goal for yourself.* (Décrivez ce que vous avez mis en œuvre pour atteindre un objectif que vous vous étiez fixé.)

19) *Do you become angry or annoyed if you have to wait for something or someone ?* (Êtes-vous en colère ou agacé quand vous devez attendre quelque chose ou quelqu'un ?)
Remarque : Il faut plutôt répondre que vous n'avez pas ces défauts ou alors fournir des exemples S-A-R qui prouvent que vous travaillez sur vous-même avec succès pour devenir plus patient ou moins agressif.

20) *Do you consider yourself to be a patient person ?* (Vous considérez-vous comme patient ?)
Voir remarque question 19.

21) *Do you have any hobbies ? Tell me about them.* (Avez-vous des passe-temps ? Parlez-m'en.)

22) *Do you keep your feelings to yourself ?* (Gardez-vous vos états d'âme pour vous ?)

23) *Do you think the future will be good ?* (Êtes-vous optimiste ?)
Remarque : Répondez clairement oui, quitte à nuancer votre propos en évoquant le défi du réchauffement de la planète, etc.

24) *Do your friends notice your feelings ?* (Est-ce que vos amis remarquent vos états d'âme ?)

25) *Give an example of a time in which you had to be relatively quick in coming to a decision.* (Donnez-moi un exemple de situation où vous avez dû prendre une décision dans une certaine urgence.)

26) *Give me a specific example of a time when you used good judgment and logic in solving a problem.* (Donnez-moi un exemple de situation où vous avez dû faire preuve de pertinence et de logique pour résoudre un problème.)

27) *Give me a specific example of something you did that helped build enthusiasm in others.* (Donnez-moi un exemple de situation où ce que vous avez fait a insufflé de l'enthousiasme aux autres.)

28) *Give me an example of a time when you were able to successfully communicate with another person even when that individual may not have personally liked you.* (Donnez-moi un exemple de situation où vous avez communiqué avec succès avec une personne qui ne vous appréciait pas forcément.)

29) *Give me an example of a time you had to make an important decision. How did you make the decision ? How does it affect you today ?* (Donnez-moi un exemple de décision importante que vous avez dû prendre. En quoi cette décision a-t-elle encore un impact sur vous ?)

30) *Give me an example of a time you had to persuade other people to take action. Were you successful ?* (Donnez-moi un exemple de situation où vous avez dû persuader d'autres personnes d'agir. Y êtes-vous parvenu ?)

31) *Give me an example of an important goal which you had set in the past and tell me about your success in reaching it.* (Donnez-moi un exemple d'objectif important que vous vous êtes fixé dans le passé et dites-moi en quoi vous l'avez atteint.)

32) *Have you ever done any volunteer work ?* (Avez-vous déjà fait du bénévolat ?)

33) *Have you ever had any failures ? What did you learn ?* (Avez-vous connu des échecs ? Que vous ont-ils enseigné ?)

34) *Have you ever spent time in English-speaking countries ?* (Avez-vous déjà séjourné dans des pays anglophones ?)

35) *How could you improve yourself ?* (Comment pourriez-vous vous améliorer ?)

36) *How do you deal with authority ?* (Comment réagissez-vous aux rapports hiérarchiques ?)

37) *How do you express yourself in situations where you have to be tactful ?* (Comment vous exprimez-vous dans des situations qui requièrent du tact ?)

38) *How do you get your peers to accept your ideas and contributions ?* (Comment convainquez-vous vos pairs d'accepter vos idées et votre collaboration ?)

39) *How do you handle criticism ?* (Comment prenez-vous les critiques ?)
   Réponse possible :
   Criticism doesn't bother me in the sense that, when it is constructive, it can help me produce better results. (Les critiques ne me dérangent pas dans la mesure où, lorsqu'elles sont constructives, elles peuvent m'aider à obtenir de meilleurs résultats.)

40) *How do you handle stress ?* (Comment gérez-vous le stress ?)

41) *How have you developed your interpersonal skills ?* (Comment avez-vous amélioré votre relationnel ?)

42) *How successful do you think you've been so far ?* (Comment évaluez-vous votre réussite à date ?)

43) *How would one of your closest friends describe your character ?* (Comment l'un de vos amis les plus proches décrirait votre caractère ?)

44) *How would you evaluate your ability to deal with conflict ?* (Que pensez-vous de votre capacité à gérer les conflits ?)

45) *How would you like to see career, family and outside interests fitting together in your long-term life plans ?* (Comment comptez-vous concilier votre carrière, votre vie familiale et vos loisirs sur le long terme ?)

46) *How would you sum up your strengths and weaknesses ?* (Comment résumeriez-vous vos forces et vos faiblesses ?)
Réponse possible :
Voir réponses 74 et 75.

47) *I see you are interested in reading. What are you reading at the moment and who are your favourite authors ?* (Je vois que vous aimez lire. Que lisez-vous en ce moment et quels sont vos auteurs favoris ?)
Réponse possible :
I've just read a novel by John Doe. It is entitled ... . Apart from John Doe, my favourite authors include ... and ... . (Je viens de lire un roman de John Doe. Il s'intitule... . Hormis John Doe, mes auteurs favoris comprennent ... et ...)
Remarque : Si vous avez indiqué la lecture comme l'un de vos passe-temps favoris, essayez d'avoir en tête quelques exemples un peu plus « denses » que les romans de Mary Higgins Clark ou le dernier Harlan Coben...

48) *If you could change one thing in your life, what would it be ?* (Si vous pouviez changer une chose dans votre vie, que changeriez-vous ?)

49) *Is there anything you dislike very much - what makes you feel angry ?* (Y a-t-il quelque chose que vous détestez ? Qu'est-ce qui suscite votre colère ?)

50) *Please describe a situation where you felt you did not exhibit as much self-control as you would have liked.* (Décrivez une situation où vous n'avez pas fait preuve d'autant de maîtrise de vous-même que vous l'auriez souhaité.)

51) *Tell me about a difficult situation when it was desirable for you to keep a positive attitude. What did you do ?* (Parlez-moi d'une situation difficile où il était souhaitable que vous gardiez une attitude positive. Qu'avez-vous fait ?)

52) *Tell me about a situation where you had to deal with awkward people.* (Relatez une situation où vous avez dû faire face à des gens maladroits.)

53) *Tell me about a time when you had to deal with a difficult person. How did you handle the situation ?* (Relatez une situation où vous avez dû faire face à une personnalité difficile. Comment avez-vous géré la situation ?)

54) *Tell me about a time when you helped resolve a dispute between others.* (Relatez une situation où vous avez aidé à résoudre un conflit entre des tierces personnes.)

55) *Tell me about something you did – or failed to do – that you now feel a little ashamed of.* (Racontez-moi quelque chose que vous avez fait, ou n'avez pas fait, et dont vous avez à présent un peu honte.)

Réponse possible :

I don't remember any such situation. Indeed, if I believed I had hurt somebody's feelings or done something wrong, I'd rather deal with it at once than chew things over. But I avoid acting on impulse and so I seldom regret my behaviour. (Je ne me souviens pas d'un tel cas de figure. En effet, si j'avais le sentiment d'avoir blessé quelqu'un ou d'avoir fait quelque chose de mal, je préférerais régler cela immédiatement plutôt que de ruminer dans mon coin. Mais j'évite d'agir impulsivement et donc je regrette rarement mon comportement.)

56) *Tell me about some situations in which you have had to adjust quickly to changes over which you had no control.* (Relatez des situations où vous avez dû vous adapter rapidement à des changements qui échappaient à votre contrôle.)

57) *Think about a time when you experienced difficulties in a group situation. How did you handle it ?* (Relatez une situation où vous avez été mis en difficulté dans un groupe. Comment l'avez-vous gérée ?)

58) *To what faults do you feel most indulgent ?* (Quel genre de faute vous inspire le plus d'indulgence ?)

59) *What are you going to do this summer ?* (Qu'allez-vous faire cet été ?)

60) *What are your outside interests/activities ?* (Quelles sont vos activités de loisir ?)

61) *What do you do in your spare time ?* (Que faites-vous pendant vos loisirs ?)

62) *What do you do when people disagree with your ideas ?* (Que faites-vous quand les gens ne partagent pas vos idées ?)

63) *What do you most value in your friends ?* (Qu'est-ce que vous appréciez le plus chez vos amis ?)

64) *What foreign languages do you speak ?* (Quelles langues étrangères parlez-vous ?)

65) *What goals have you set for yourself in life ?* (Quels buts vous êtes-vous fixés dans votre vie ?)

66) *What has been your biggest failure ?* (Quel a été votre plus grand échec ?)
Remarque : Relatez une situation d'échec et embrayez immédiatement sur les répercussions positives de cet échec ou les enseignements bénéfiques que vous en avez tiré.

67) *What have you learnt from your mistakes ?* (Quelles leçons avez-vous tirées de vos échecs ?)

68) *What is the best thing that ever happened to you ?* (Quelle est la meilleure chose qui vous est arrivée ?)

69) *What is the riskiest thing you have ever done ?* (Quelle est la chose la plus risquée que vous avez faite ?)

70) *What is your energy level ?* (Comment évaluez-vous votre degré de dynamisme ?)

71) *What is your favourite book ?* (Quel est votre livre préféré ?)

72) *What is your favourite dessert ?* (Quel est votre dessert préféré ?)

73) *What is your favourite movie ?* (Quel est votre film préféré ?)

74) *What is your greatest asset ?* (Quel est votre principal atout ?)
Exemples de réponses possibles :
I'm very self-motivated. For example, I .... (J'ai beaucoup de volonté. Par exemple, je ...)
My greatest strength is my ability to prioritize. For example, I .... (Ma plus grande qualité est ma capacité à établir des priorités. Par exemple, je ...)
I have great problem-solving skills. For example, I .... (Je suis doué pour résoudre les problèmes. Par exemple, je ...)
I work well under pressure. For example, I .... (Je travaille efficacement dans des situations de stress. Par exemple, je ...)
I am an excellent communicator. For example, I .... (Je suis doué pour la communication. Par exemple, je ...)
My strongest point is my ability to focus on projects. For example, I .... (Ma plus grande qualité réside dans ma capacité à me concentrer sur un projet. Par exemple, je ...)

75) *What is your greatest shortcoming ?* (Quel est votre plus grand défaut ?)
Remarque : Ne répondez pas que vous êtes « trop perfectionniste ». Cette réponse-là, les recruteurs l'ont entendue des centaines de fois et elle les exaspère même s'ils parviennent à garder un air impassible quand ils l'entendent ! Mentionnez un défaut réel et expliquez comment vous le combattez.
Exemples de réponses possibles :
A weakness of mine would be the fact that I get a little nervous when speaking in front of groups. I have volunteered to give presentations as often as possible during my school years to help overcome this anxiety and I feel much more confident today when I need to speak in front of an audience. (L'un de mes défauts est que je suis un peu nerveux quand je parle devant un groupe. Je me suis porté volontaire pour faire des présentations aussi souvent que possible pendant mes études afin de surmonter cette anxiété et je me sens beaucoup plus confiant aujourd'hui quand je dois parler devant un auditoire.)
I used to have trouble with setting priorities in my work. Now I have learned to write down a list of things that I need to do, and keep a calendar to keep track of deadlines. I have found that this not only helps me to finish things on time, but it also helps me to be more organized and to work faster. (Avant, j'avais du mal à me fixer des priorités dans le travail. Maintenant, j'ai appris à établir une liste de choses que je dois faire et à me fixer un calendrier pour respecter les délais impartis. Je me suis rendu compte que cela m'aidait non seulement à finir les choses en temps et en heure, mais également à être plus organisé et à travailler plus vite.)
I pride myself on being a « big picture » person. I have to admit I sometimes miss small details, but I always make sure I have someone who is detail-oriented on my team. (Je me flatte d'être quelqu'un qui a une bonne vision globale des projets. Je dois admettre que je passe parfois à côté de petits détails mais je fais toujours en sorte d'avoir quelqu'un de minutieux dans mon équipe.)

76) *What is your idea of earthly happiness ?* (Quelle est votre définition du bonheur sur terre ?)

77) *What is your present state of mind ?* (Quel est votre état d'esprit actuel ?)

78) *What kinds of decisions are most difficult for you ?* (Pour vous, quels types de décisions sont les plus difficiles à prendre ?)

79) *What major problem have you encountered and how did you deal with it ?* (Quel est le plus gros problème auquel vous avez été confronté et comment l'avez-vous réglé ?)

80) *What makes you think that you can supervise effectively ?* (Qu'est-ce qui vous fait croire que vous pouvez diriger efficacement du personnel ?)

81) *What motivates you ?* (Qu'est-ce qui vous motive ?)
Réponse possible :
Voir chap. 4, § II 2, exemple 1.

82) *What reading have you done lately ?* (Qu'avez-vous lu récemment ?)

83) *What short-term objectives have you established for yourself ?* (Quels objectifs à court terme vous êtes-vous fixés ?)

84) *What specific goals have you established for your life ?* (Quels buts précis vous êtes-vous fixés dans l'existence ?)

85) *What sports did you or do you still practice ?* (Quels sports pratiquez-vous ou avez-vous pratiqués ?)

86) *What to your mind would be the greatest of misfortunes ?* (D'après vous, quel serait le plus grand des malheurs ?)

87) *What would you most want to change about yourself ?* (Quelle est la première chose que vous souhaiteriez modifier en vous ?)

88) *When was the last time you were involved in public speaking ?* (Quand avez-vous pour la dernière fois pris la parole en public ?)

89) *Which three words describe you the best ?* (Quels sont les trois mots qui vous décriraient le mieux ?)
Exemple de réponse possible :
Empathy, reliability and creativity. (Empathie, fiabilité et créativité.)

90) *Who are your favourite characters in history ?* (Quels sont vos personnages historiques préférés ?)

91) *Who are your favourite heroes in real life ?* (Quels sont vos héros dans la vie réelle ?)

92) *Who are your role models ?* (Qui sont vos modèles ?)

93) *Who would you have liked to be ?* (Qui auriez-vous aimé être ?)

94) *Would you like to work abroad ? Where ?* (Aimeriez-vous travailler à l'étranger ? Où ?)

95) *Would you say that you can easily deal with high-pressure situations ?* (Diriez-vous que vous pouvez sans problème faire face à des situations stressantes ?)
Remarque : Répondez oui et citez des exemples S-A-R.

V. Questions relatives à des situations de travail passées

1. Questions posées exclusivement à un étudiant à la recherche d'un premier emploi

1) *Before you can make a productive contribution to the company, what degree of training do you feel you will require ?* (De quelle quantité de formation aurez-vous besoin avant d'être productif dans l'entreprise ?)

2) *Describe the type of professor that has created the most beneficial learning experience for you.* (Décrivez le type de professeur qui vous a apporté l'enseignement le plus enrichissant.)

3) *Describe your computer experience.* (Quelles sont vos connaissances en informatique ?)

4) *Describe your last holiday job.* (Décrivez votre dernier job d'été.)

5) *Did you enjoy being on the ... committee ?* (Avez-vous aimé faire partie de l'association ... ?)
   Réponse possible :
   Voir § IV, réponse 3.

6) *Do you feel your grades reflect you ability ?* (Estimez-vous que vos notes reflètent vos capacités ?)
   Remarque : Si vos notes sont moyennes, pensez à citer tous les autres domaines de votre vie étudiante où vous excellez et qui vous fournissent des compétences qui contribueront à vous rendre efficace en entreprise (bénévolat, sport, etc.).

7) *Do you think that your grades are a good indication of your academic achievement ?* (Pensez-vous que vos notes reflètent vos performances universitaires ?)
   Voir remarque question 6.

8) *Give an example of how you applied knowledge from previous coursework to a project in another class.* (Expliquez comment vous avez appliqué des connaissances acquises dans un cours précédent à un travail donné dans une autre matière.)

9) *How are your studies related to this job ?* (En quoi vos études correspondent-elles aux exigences de ce poste ?)
   Réponse possible :
   Voir réponse 14.

10) *How did you choose your program of study ?* (Comment avez-vous choisi votre programme d'études ?)

11) *How did you get your holiday jobs/placements ?* (Comment avez-vous obtenu vos jobs d'été/stages ?)

12) *How do you propose to compensate for your lack of experience ?* (Comment proposez-vous de compenser votre manque d'expérience ?)
First, I'm hard working and I'm a quick learner so I know I can adapt quickly. In addition, college has taught me how to organise and plan my work and to interact with others effectively. I've also had several placements where I learned … . And above all, my involvement in the … student association has enabled me to follow my ideas from start to finish. I have had real project management experience as the chairman of this association. Indeed, I have successfully managed a €15,000 budget ; I've learnt to deal with unforeseen challenges such as … and to communicate with people who have very different views. (D'abord, je suis quelqu'un qui travaille beaucoup et qui apprend vite donc je sais que je peux m'adapter rapidement. Ensuite, l'université m'a appris comment m'organiser, planifier mon travail et avoir un bon relationnel. J'ai aussi fait plusieurs stages où j'ai appris … . Et surtout, mon implication dans l'association étudiante … m'a permis de concrétiser mes idées de A à Z. J'ai acquis une véritable expérience de la gestion de projets en tant que président de cette association. En effet, j'ai géré avec succès un budget de 15 000 €, j'ai appris à faire face à des défis imprévus comme … et à communiquer avec des gens qui avaient des opinions très différentes.)

13) *How financially independent are you ?* (Quel est votre degré d'indépendance financière ?)
Remarque : Le fait pour un étudiant d'arriver au terme d'études intégralement financées par ses parents et de ne jamais avoir effectué de stage ou d'emploi saisonnier ne donne pas une image positive de son sens de l'effort. Il faut donc songer bien en amont à cet élément du CV …

14) *How has your education prepared you for this position ?* (En quoi votre formation vous a préparé à ce poste ?)
Réponse possible :
My education has focused not only on learning the fundamentals, but also on the practical application of the information learned in class. Indeed, I played a lead role in several class projects where we had to gather and analyze data to perform case studies. For instance … (Ma formation a été centrée non seulement sur l'acquisition de connaissances fondamentales mais également sur l'application pratique des enseignements reçus. En effet, j'ai joué un rôle prépondérant dans plusieurs projets universitaires où nous devions collecter et analyser des données pour réaliser des études de cas. Par exemple …)

15) *How have you differed from your professors in evaluating your performance ? How did you handle the situation ?* (En quoi avez-vous eu une opinion différente de celle de vos professeurs sur l'évaluation de vos travaux ? Comment avez-vous géré cette situation ?)

16) *How was your transition from high school to college ? Did you face any particular problems ?* (Comment avez-vous vécu la transition entre le lycée et l'université ? Avez-vous eu à faire face à des problèmes particuliers ?)

17) *I see you have done some voluntary work. What did you learn from that ?* (Je vois que vous avez fait du bénévolat. Qu'est-ce que cela vous a apporté ?)

18) *If you could change or improve anything about your college, what would it be ?* (Si vous pouviez changer ou améliorer quelque chose dans votre université, que changeriez-vous ?)

19) *If you could do so, how would you plan your college career differently ?* (Si c'était possible, que changeriez-vous dans votre cursus universitaire ?)
Remarque : Citez éventuellement des modifications mineures mais ne répondez jamais que vous regrettez le choix de vos études.

20) *In what placement or summer job have you been most interested ? Why ?* (Quel stage ou job d'été vous a le plus intéressé ? Pourquoi ?)

21) *Please describe the ideal job for you following graduation.* (Décrivez le job idéal à l'issue de vos études.)
Remarque : Ne formulez pas une réponse trop précise. Décrivez les grandes lignes du poste qu'on vous propose dans cette entreprise et débouchez sur une vision plus globale de votre « idéal ». Voir § II, réponse 40.

22) *Recall a time when you were assigned what you considered to be a complex project. Specifically, what steps did you take to prepare for and finish the project ? Were you happy with the outcome ? What would you have done differently if given the chance ?* (Rappelez-vous un projet qu'on vous a confié et que vous avez trouvé difficile. Quelles démarches avez-vous entreprises pour préparer et finaliser ce projet ? Avez-vous été satisfait du résultat ? Que feriez-vous différemment si c'était possible ?)

23) *Talk about your university program.* (Parlez-moi de vos études.)

24) *To what extent have you been involved in extra-curricular activities ?* (Dans quelle mesure vous êtes-vous impliqué dans des activités extra-universitaires ?)
Réponse possible :
Voir § IV, réponse 3.

25) *What are your standards of success in school ? What have you done to meet these standards ?* (Quels sont vos critères de réussite universitaire ? Qu'avez-vous fait pour correspondre à ces critères ?)
Remarque : Citez non seulement les notes mais aussi les projets associatifs, les travaux de groupe, etc.

26) *What courses did you enjoy the most/least ? Why ?* (Quels cours avez-vous le plus / le moins appréciés ? Pourquoi ?)

27) *What did you cover in the final year of your course ?* (Quelles matières avez-vous étudiées pendant votre dernière année d'études ?)

28) *What did your vacation work involve ?* (En quoi consistaient vos jobs d'été ?)

29) *What experience do you have of business in general ?* (Quelle expérience avez-vous du monde des affaires ?)
Réponse possible :
In college, I managed a Young Enterprise Company called ..., which produced ... . This taught me a lot about ... . I've also spent some of my vacations working in various firms. Last summer, for example, I had an internship in the ... department of a firm called ... . I learned how to ... .

(À l'université, j'ai dirigé une junior entreprise appelée ..., qui produisait ... . Cela m'a enseigné beaucoup de choses au sujet de ... . J'ai aussi passé une partie de mes vacances à travailler dans diverses entreprises. L'été dernier, par exemple, j'ai fait un stage dans le service ... de l'entreprise ... . J'ai appris comment ... .)

30) *What have you got out of academic life ?* (Que retirez-vous de la vie universitaire ?)
Réponse possible :
First, as you can see from my grades, I am committed to academic excellence. What I also like about ... . University is that I have never been more challenged in my entire life. For instance, I have spent hours in discussion with professors outside of the classroom.
In addition, my involvement with a student association has taught me how to get organized, achieve goals and interact successfully with people. (D'abord, comme mes notes en témoignent, j'attache beaucoup d'importance à ma réussite scolaire. Ce que j'aime aussi à l'Université ..., c'est que je n'ai jamais été autant stimulé intellectuellement dans ma vie. Par exemple, j'ai passé des heures à discuter avec des professeurs en dehors de la salle de classe.
Ensuite, mon implication dans une association étudiante m'a appris à m'organiser, à atteindre des objectifs et à avoir des relations gratifiantes avec les gens.)

31) *What have your holiday jobs/internships taught you ?* (Que vous ont enseigné vos jobs d'été/stages ?)

32) *What is the most important thing you learned from your university program ?* (Quelle est la chose la plus importante que vous avez apprise pendant vos études ?)

33) *What led you to choose your course ?* (Qu'est-ce qui vous a conduit à choisir ce type d'études ?)

34) *What main challenges did you meet ? How did you deal with them ?* (À quels défis majeurs avez-vous été confronté ? Comment les avez-vous abordés ?)

35) *What parts of your education do you see as relevant to this position ?* (D'après vous, quelle partie de votre formation est en adéquation avec ce poste ?)

36) *What subjects did you like best/least ? Why ?* (Quelles matières avez-vous le plus / le moins aimées ? Pourquoi ?)

37) *What was the most complex assignment you have had ? What was your role ?* (Quel est le projet le plus complexe que vous avez dû mener à bien pendant vos études ? Quelles étaient vos attributions dans ce projet ?)

38) *What were the biggest problems you encountered in university ? How did you handle them ?* (Quels sont les problèmes majeurs que vous avez rencontrés à l'université ? Comment y avez-vous fait face ?)

39) *What were your reasons for selecting your college or university ?* (Quelles sont les raisons qui vous ont poussé à choisir votre école ou université ?)
Réponse possible :
My university has always had a reputation as having an excellent ... department, so I knew that if I enrolled there, I would achieve first-class preparation for my chosen career field. It is also known for satisfying employers with the preparation of its graduates. Indeed, leading ...

professionals teach there. Moreover, ... College emphasizes group projects. During my four years there, I participated in more than 20 group projects and case studies which taught me invaluable teamwork, organization, and interpersonal skills. (Mon université a toujours été réputée pour la qualité de sa section ..., donc je savais que si je m'y inscrivais, je me préparerais de façon optimale au type de carrière que j'ai choisi. Cette université est également connue pour préparer les diplômés d'une façon qui satisfait les employeurs. En effet, des professionnels de haut niveau dans le domaine de ... y enseignent. De plus, l'Institut ... met l'accent sur les travaux de groupe. Pendant mes quatre années d'études, j'ai participé à plus de 20 projets de groupe et études de cas qui ont énormément développé mon aptitude à travailler en équipe, mon sens de l'organisation et mon relationnel.)

40) *What would you do if you weren't going into this type of career ?* (Que feriez-vous si vous ne vous destiniez pas à ce type de carrière ?)

41) *Why did you choose your course as your field of study ?* (Pourquoi avez-vous décidé de poursuivre ce type d'études ?)

2. Questions posées exclusivement à un candidat ayant déjà une expérience professionnelle

1) *Can you explain this gap in your employment history ? What have you been doing since you were last employed ?* (Pouvez-vous expliquer ce vide dans votre CV ? Qu'avez-vous fait depuis votre dernier emploi ?)
   Réponse possible :
   When my job ended, I decided to take whatever time I needed to think through what I do best, what I most want to do, and then identify the companies that could offer such an opportunity. I'm convinced that when I do find the right match, that reflection time will have been worthwhile for both the company that hires me and myself. (Après mon licenciement, j'ai décidé de prendre suffisamment de temps pour réfléchir à ce que je fais le mieux, à ce que je veux faire en priorité et ensuite identifier les entreprises qui pourraient m'offrir une telle opportunité. Je suis convaincu que, lorsque j'aurai trouvé le poste adéquat, ce temps de réflexion aura été bénéfique à la fois pour l'entreprise qui m'embauchera et pour moi-même.)

2) *Can you tell me about your responsibilities at your current job ?* (Pouvez-vous me parler de vos responsabilités dans vos fonctions actuelles.)
   Réponse possible :
   My responsibilities span from ... to ... . I am also involved in ... . I set targets for ... and monitor the results of ... (Mes responsabilités vont de ... à ... . Je suis aussi impliqué dans ... . Je fixe des objectifs pour ... et j'assure le suivi des résultats de ... .)

3) *Could you please tell us about a time when you had to complete a job under pressure ?* (Pouvez-vous nous relater une situation de travail où vous avez été soumis à une pression importante ?)

4) *Describe some projects or ideas that were implemented or carried out successfully primarily because of your efforts.* (Décrivez-nous des projets ou des idées qui ont été mis en place ou concrétisés avec succès principalement grâce à vos efforts.)
   Réponse possible :
   Remarque : Utilisez un mode de réponse S-A-R. Voir chap. 5, § V, p. 91.

5) *Describe the system you use for keeping track of multiple projects. How do you track your progress so that you can meet deadlines ? How do you stay focused ?* (Décrivez la méthode que vous utilisez pour garder le contrôle de différents projets menés simultanément. Comment assurez-vous le suivi afin de respecter les délais fixés ? Comment restez-vous concentré ?)

6) *Describe you current boss. What do you most like about him/her ? Why ? What do you least like about him/her ? Why ?* (Décrivez votre chef actuel. Qu'appréciez-vous le plus en lui/elle ? Pourquoi ? Qu'appréciez-vous le moins ? Pourquoi ?)
   Remarque : Insistez sur les qualités de la personne et citez éventuellement un défaut mineur.

7) *From a work standpoint, what has been your biggest shortcoming ?* (Du point de vue du travail, quel est votre plus grand défaut ?)
   Remarque : Citez un défaut relativement mineur et expliquez comment vous l'avez combattu avec succès en relatant une anecdote S-A-R.

8) *Give us an example of how you have used your creativity to solve a problem on the job.* (Donnez-nous un exemple de situation où vous avez fait appel à votre créativité pour résoudre un problème de travail.)

9) *Have you done the best work you are capable of ?* (Avez-vous fourni le meilleur travail dont vous soyez capable ?)

10) *Have you ever had to fire anyone ? How did you feel about that ?* (Avez-vous déjà eu à licencier quelqu'un ? Comment avez-vous vécu cela ?)

11) *Have you ever quit a job ? Why ?* (Avez-vous déjà démissionné d'un poste ? Pourquoi ?)

12) *How did you get on with your last manager / colleagues ?* (Comment vous accordiez-vous avec votre dernier chef / vos précédents collègues ?)

13) *How did you handle sudden unplanned work or crisis ?* (Comment avez-vous géré une charge de travail ou une crise imprévue ?)

14) *How did you make a difference to your last organisation ?* (Quelle contribution significative avez-vous apportée à votre dernier employeur ?)

15) *How did you progress in your last job ?* (En quoi avez-vous progressé dans votre dernier poste ?)

16) *How do you deal with different people at work ?* (Comment gérez-vous des personnalités différentes dans votre vie professionnelle ?)

17) *How do you establish a working relationship with new people ?* (Comment établissez-vous une relation de travail avec de nouvelles personnes ?)

18) *How do you plan your day and week ?* (Comment planifiez-vous vos journées et vos semaines ?)

19) *How do you stay current with changes in the industry ?* (Comment vous tenez-vous au courant des changements dans votre secteur d'activité ?)

20) *How do you structure your day's work ?* (Comment planifiez-vous le travail d'une journée ?)

21) *How long have you been looking for a new job ?* (Depuis combien de temps cherchez-vous un emploi ?)

22) *How much have you actually learned from the jobs you've had ?* (Que vous ont réellement enseigné vos différents emplois ?)

23) *How successful are you ?* (Quel est votre degré de réussite ?)

24) *If we had 3 or 4 of your close colleagues with us and asked them to describe you, what would they likely say ?* (Si trois ou quatre de vos proches collègues étaient présents et que nous leur demandions de vous décrire, que diraient-ils probablement ?)

25) *If we were to call your current supervisor, which area would he or she say is your strongest ? Which area would he or she say is your weakest ?* (Si nous appelions votre supérieur actuel, quelle qualité principale vous attribuerait-il ? Dans quel domaine vous jugerait-il le moins compétent ?)
Voir réponse 50.

26) *If you were not in your current profession, what would you like to be doing ?* (Si vous n'exerciez pas votre profession actuelle, qu'aimeriez-vous faire ?)

27) *Of which job accomplishments are you most proud ?* (De quelles réalisations êtes-vous le plus fier dans votre vie professionnelle ?)
Réponse possible :
Voir chap. 5, § V, p. 91.

28) *Recall a time from your work experience when your supervisor was unavailable and a problem arose. What was the nature of the problem ? How did you handle that situation ? How did that make you feel ?* (Relatez une situation de travail où votre supérieur hiérarchique n'était pas disponible et où un problème s'est produit. Quelle était la nature du problème ? Comment avez-vous géré cette situation ? Qu'avez-vous ressenti ?)

29) *Tell me about a suggestion you have made.* (Expliquez-moi une suggestion que vous avez faite.)
Réponse possible :
Voir chap. 5, § V, p. 91.

30) *Tell me about a time when you had to go above and beyond the call of duty in order to get a job done.* (Relatez une situation où vous avez dû aller au-delà des exigences de votre fonction pour mener à bien un travail.)

31) *Tell of a time when you worked with a colleague who was not completing his or her share of the work.* (Relatez une situation où vous avez travaillé avec un collègue qui n'accomplissait pas sa part de travail.)

32) *Tell of the most difficult customer service experience that you have ever had to handle. Be specific and tell what you did and what the outcome was.* (Relatez la plus difficile expérience de service clients que vous ayez eue à gérer. Soyez précis et dites ce que vous avez fait et quel a été le résultat.)

33) *Think about a time when you had a conflict with a co-worker. How did you handle it ?* (Pensez à une situation où vous avez été en conflit avec un collègue. Comment l'avez-vous gérée ?)

34) *What 2-3 things are most important to you in your job ?* (Quelles sont les deux ou trois choses qui importent le plus pour vous dans le travail ?)

35) *What aspects of your work performance would you like to improve ?* (Quels aspects de votre façon de travailler souhaiteriez-vous améliorer ?)

36) *What bored/excited you the most about your last job ?* (Qu'est-ce que vous avez trouvé le plus ennuyeux / le plus passionnant dans votre dernier poste ?)

37) *What did you do on a day to day basis ?* (Que faisiez-vous au quotidien ?)

38) *What did you like least about you last job ?* (Qu'avez-vous le moins aimé à propos de votre dernier poste ?)

39) *What do you do when you don't agree with your supervisor ?* (Que faites-vous quand vous n'êtes pas d'accord avec votre supérieur hiérarchique ?)

40) *What do you enjoy most in your current job ?* (Qu'est-ce que vous appréciez le plus dans votre travail actuel ?)
   Réponse possible :
   First, I would mention team work. I thoroughly enjoy participating in cross-functional projects. Also, I love achieving targets such as completing a project within a budget and to timescale. I also like to have varied days with new challenges, and when every day is different from the last. (D'abord, je mentionnerais le travail d'équipe. J'apprécie vraiment le fait de réaliser des projets qui impliquent différents services de l'entreprise. Ensuite, j'adore atteindre des objectifs, comme le fait de réussir un projet dans le temps et le budget impartis. J'aime aussi avoir des journées variées avec de nouveaux défis ; quand aucune journée ne ressemble à une autre.)

41) *What do you look for when you hire people ?* (Que recherchez-vous quand vous embauchez des gens ?)

42) *What has been your biggest professional disappointment ?* (Quelle est votre plus grande déception professionnelle à ce jour ?)

43) *What initiatives do you take to make the work place more efficient ?* (Quel genre d'initiatives prenez-vous pour améliorer le fonctionnement de votre lieu de travail ?)
   Réponse possible :
   Voir chap. 5, § V, p. 91.

44) *What is your management style ?* (Quel est votre style de management ?)
   Réponse possible :
   I perform my leadership role by using my ability to interpret people's actions and dialogue, and then by persuading them to do things my way. I use a diplomatic tone in order to work peace-

fully with people and I never intimidate them. I like to build team spirit, delegate authority and develop my subordinates. (J'assume mes fonctions d'encadrement en utilisant ma capacité à décoder les actes et les paroles des gens et à les persuader ensuite de faire les choses comme je l'entends. Je parle avec diplomatie afin de travailler sereinement avec les gens et je n'essaye jamais de les intimider. J'aime créer un esprit d'équipe, déléguer l'autorité et aider mes collaborateurs à progresser.)

45) *What is your philosophy towards work ?* (Quelle est votre philosophie du travail ?)
Réponse possible :
Voir ci-après § VI, question 25, p. 131.

46) *What kind of supervisor do you work best for ? Provide examples.* (Avec quel type de supérieur hiérarchique travaillez-vous le mieux ? Donnez des exemples.)

47) *What parts of your current job do you dislike ? Why ?* (Quels sont les aspects de votre travail actuel que vous n'aimez pas ? Pourquoi ?)

48) *What was your greatest success and how did you achieve it ?* (Quelle a été votre plus grande réussite et comment l'avez-vous obtenue ?)
Réponse possible :
Voir chap. 5, § V, p. 91.

49) *What was your role in your department's most recent success ?* (Quel a été votre rôle dans la dernière réussite en date de votre service ?)

50) *What would your boss say about you if we asked him ?* (Que dirait votre patron à votre sujet si nous l'interrogions ?)
Réponse possible :
Judging from my last performance review, my boss thinks that I work hard, demonstrate competence and fulfil my tasks with excellence in mind. He/she also believes that I have strong social skills and excellent ability to build team spirit. He/she praised my ability to motivate the 8 people that report to me. Yet, he/she knows that there isn't room for growth in the company currently and he/she understands my decision to leave. (Si j'en juge par ma dernière revue de performance, mon chef estime que je travaille beaucoup, que je suis compétent et que j'accomplis les missions qui me sont confiées en recherchant l'excellence. Il/elle pense aussi que j'ai un bon relationnel et une excellente capacité à créer un esprit d'équipe. Il/elle m'a complimenté sur ma capacité à motiver les huit personnes que je dirige. Cependant, il/elle sait qu'actuellement il n'y a pas de possibilité d'évolution dans l'entreprise et il/elle comprend ma volonté de partir.)

51) *Who was the best boss you ever had ?* (Quel est le meilleur patron que vous ayez eu ?)

52) *Why did you leave your last job ?* (Pourquoi avez-vous quitté votre dernier emploi ?)

**3. Questions posées indifféremment
à un étudiant à la recherche d'un premier emploi
ou à un candidat ayant déjà une expérience professionnelle**

1) *Are you a self-starter, able to work without constant supervision ?* (Êtes-vous capable d'entreprendre un projet seul et de travail sans le contrôle permanent d'un supérieur hiérarchique ?)

2) *Are you a team player ?* (Avez-vous l'esprit d'équipe ?)

3) *Are you applying for other jobs ?* (Avez-vous posé votre candidature à d'autres postes ?)

4) *Are you enthusiastic and easy to work with ?* (Êtes-vous enthousiaste et facile à vivre dans le travail ?)

5) *Are you willing to move ?* (Êtes-vous mobile ?)

6) *Are you willing to work long hours ?* (Êtes-vous prêt à accepter un volume horaire de travail important ?)

7) *Can you manage your time effectively ?* (Savez-vous gérer votre temps efficacement ?)

8) *Can you tell me about an important written document you were required to complete ?* (Pouvez-vous me parler d'un document écrit important que vous avez eu à rédiger ?)

9) *Can you tell us about your education and training ?* (Pouvez-vous nous parler de votre formation universitaire et professionnelle ?)
Réponse possible :
I successfully completed a ... degree in ... at ... University. Since joining the X company, I've taken several internal and external training courses – from IT to conducting effective meetings – that have helped me build on my initial education and prepared me for new challenges. (J'ai obtenu un diplôme de ... à l'Université de ... . Depuis que j'ai rejoint l'entreprise X, j'ai suivi plusieurs stages de formation interne et externe, de l'informatique à la conduite efficace de réunions, qui m'ont aidé à capitaliser sur ma formation initiale et m'ont préparé à de nouveaux défis.)

10) *Can you work under pressure ?* (Pouvez-vous travailler dans des situations de stress ?)

11) *Compare the times when you did work which was above the standard with times your work was below the standard.* (Comparez les situations où la qualité de votre travail a été d'une qualité supérieure à la norme et celles où elle a été inférieure à cette norme.)

12) *Could you talk about how you manage your time, what techniques or tools you use in order to be as productive as possible ?* (Pourriez-vous parler de votre façon de gérer le temps et des techniques ou des outils que vous utilisez pour être le plus productif possible ?)

13) *Describe a situation in which you found that your results were not up to your professor's or supervisor's expectations. What happened ? What action did you take ?* (Décrivez une

situation où vos résultats n'ont pas été à la hauteur des espérances de votre professeur ou de votre supérieur hiérarchique. Que s'est-il passé ? Comment avez-vous agi ?)

14) *Describe a situation in which you had to arrive at a compromise or guide others to a compromise.* (Décrivez une situation où vous avez dû aboutir à un compromis ou conduire les autres à un compromis.)

15) *Describe a situation that required a number of things to be done at the same time. How did you handle it ? What was the result ?* (Décrivez une situation où plusieurs choses devaient être menées de front. Comment l'avez-vous gérée ? Quel a été le résultat ?)

16) *Describe a situation where you gathered and analyzed facts to arrive at a decision.* (Décrivez une situation où vous avez rassemblé et analysé des faits pour aboutir à une décision.)

17) *Describe a time when you got co-workers or classmates who disliked each other to work together. How did you accomplish this ? What was the outcome ?* (Décrivez une situation où vous avez convaincu des collègues ou des condisciples qui ne s'appréciaient pas de travailler ensemble. Comment y êtes-vous parvenu ? Quel a été le résultat ?)

18) *Describe a time when you had to use your written communication skills to get an important point across.* (Décrivez une situation où vous avez dû utiliser votre aptitude à la communication écrite pour faire passer un message important.)

19) *Describe a time when you put your needs aside to help a co-worker or classmate. How did you assist him or her ? What was the result ? How did that make you feel ?* (Décrivez une situation où vous avez mis vos priorités de côté pour aider l'un de vos collègues ou condisciples. Comment l'avez-vous aidé ? Quel a été le résultat ? Qu'avez-vous ressenti ?)

Réponse possible :

During a group project in a marketing course, I noticed that one member wasn't doing his share of the work. I talked with other people in the group about it, and they felt the same way I did. So I offered to talk to this person about our concerns. As it turns out, he was stressed out because he struggled with his math courses and was not doing well in them. Since the other members of the group were good at maths, we offered to help him complete his math assignments. He was so grateful that he decided to work really hard on the project, putting in most of his time and efforts to ensure success. As a result, we got excellent grades. I was really pleased with our teamwork and the way we handled the situation. (À l'occasion d'un travail de groupe en cours de marketing, j'ai remarqué qu'un des membres du groupe ne faisait pas sa part du travail. J'en ai parlé à d'autres membres du groupe : ils avaient le même ressenti. J'ai alors proposé de parler à cet individu de nos inquiétudes. Il s'est avéré qu'il était stressé car il se débattait avec ses cours de maths et n'avait pas de bons résultats. Comme les autres membres du groupe étaient bons en maths, nous avons proposé de l'aider à faire ses devoirs de maths. Il nous en a été tellement reconnaissant qu'il a décidé de travailler très dur sur le projet, en consacrant la majeure partie de son temps et de ses efforts à sa réussite. Par conséquent, nous avons eu d'excellentes notes. J'ai vraiment été satisfait de notre travail d'équipe et de la façon dont nous avons géré la situation.)

20) *Describe some times when you were not very satisfied with your performance. What did you do about it ?* (Décrivez des situations où vous n'avez pas été tout à fait satisfait de votre performance. Comment avez-vous réagi ?)

21) *Describe the characteristics of a successful manager.* (Décrivez les critères de réussite d'un cadre dirigeant.)

22) *Describe the most significant or creative presentation that you have had to complete.* (Décrivez la présentation la plus importante ou la plus créative que vous avez dû réaliser.)

23) *Describe your work ethic.* (Décrivez votre éthique du travail.)
Remarque : La traduction de *work ethic* est difficile, alors que cette expression est couramment employée en anglais. Elle recouvre tous les aspects de l'implication positive d'un salarié dans son travail : *level of commitment, reliability, team spirit, ability to go the extra mile, persistence to achieve quality, finding resources when stuck* (degré d'implication, fiabilité, esprit d'équipe, capacité à fournir le petit plus qui fera la différence, souci constant de qualité, capacité à trouver des ressources face à une impasse).

24) *Do you feel that you have top managerial potential ?* (Pensez-vous posséder les qualités nécessaires pour accéder au plus haut niveau de direction ?)

25) *Do you like routine tasks/regular hours ?* (Aimez-vous les tâches routinières / les horaires de travail réguliers ?)

26) *Do you work better by yourself or as part of a team ?* (Travaillez-vous mieux seul ou en groupe ?)

27) *Give an example of when you had to work with someone who was difficult to get along with. How did you handle that person ?* (Donnez un exemple de situation où vous avez dû travailler avec quelqu'un qui avait un caractère difficile. Comment avez-vous géré cette personne ?)

28) *Give me an example of a time when you went above and beyond the call of duty.* (Donnez un exemple de situation où vous avez été au-delà de ce qu'on attendait de vous.)

29) *Give me a specific occasion in which you conformed to a policy with which you did not agree.* (Donnez-moi un exemple de situation où vous vous êtes plié à des règles avec lesquelles vous n'étiez pas d'accord.)

30) *Have you ever had difficulty with a supervisor or instructor ? How did you resolve the conflict ?* (Avez-vous déjà eu un conflit avec un supérieur ou un enseignant ? Comment avez-vous résolu ce conflit ?)

31) *Have you found any ways to make school or a job easier or more rewarding or to make yourself more effective ?* (Avez-vous trouvé des moyens de rendre votre travail universitaire ou salarié plus enrichissant ou de vous rendre plus efficace ?)

32) *How do you determine success ? Give me an example of one of your successful accomplishments.* (Comment définissez-vous la réussite ? Donnez-moi un exemple de ce que vous avez réussi.)

33) *How do you determine priorities in scheduling your time ? Give examples.* (Comment déterminez-vous les priorités quand vous établissez votre emploi du temps ? Donnez des exemples.)

34) *How do you feel about working overtime ?* (Êtes-vous prêt à faire des heures supplémentaires ?)

35) *How do you take direction ?* (Comment supportez-vous les rapports de hiérarchie ?)

36) *How have you constructively dealt with disappointment and turned it into a learning experience ?* (Comment avez-vous fait face à une déception de façon constructive et l'avez-vous transformée en enseignement positif ?)

37) *How would you describe the role of a marketing/sales/finance executive ?* (Comment décririez-vous les fonctions d'un cadre marketing/commercial/financier ?)

38) *How would you describe your work pace : fast, moderate, slow, or if it varies and under what circumstances ?* (Comment décririez-vous votre rythme de travail : rapide, modéré, lent, ou bien est-ce qu'il varie et dans quelles circonstances ?)

39) *In a supervisory or group leader role, have you ever had to discipline an employee or group member ? What steps did you take ? How did that make you feel ?* (Dans un rôle d'encadrement ou de leader d'un groupe, avez-vous déjà eu à faire preuve de discipline vis-à-vis d'un membre du groupe ? Quelles mesures avez-vous prises ? Comment avez-vous vécu cette situation ?)

40) *If you encountered an unreasonable deadline, what would you do ?* (Si vous étiez confronté à des délais impossibles à tenir, que feriez-vous ?)
    Réponse possible :
    I would analyse the situation, set priorities and explain my plan to my supervisor. Then, I would do my utmost to achieve everything we agreed to be feasible. (J'analyserais la situation, j'établirais des priorités et j'expliquerais mon projet à mon supérieur. Ensuite, je ferais de mon mieux pour atteindre tous les objectifs que nous avions jugé atteignables.)

41) *Please tell me about one or two unpopular decisions you have made. What were the positive and negative outcomes of those decisions ?* (Parlez-moi d'une ou deux décisions impopulaires que vous avez prises. Quels effets positifs et négatifs ont eu ces décisions ?)

42) *Sometimes it's easy to get in « over your head ». Describe a situation where you had to request assistance on a project or assignment.* (Parfois, on est vite débordé. Décrivez une situation où vous avez dû demander de l'aide pour effectuer un projet ou un travail.)

43) *Take me through your resume.* (Résumez votre CV.)

44) *Tell me about a time when you came up with an innovative solution to a challenge your company/class was facing. What was the challenge ? What role did others play ?* (Relatez une situation où vous avez trouvé une solution créative à un problème auquel votre

entreprise / votre classe était confrontée. Quel était ce défi ? Quels rôles ont joué les autres ?)

45) *Tell me about a time when you demonstrated initiative.* (Relatez-moi une situation où vous avez fait preuve d'initiative.)

46) *Tell me about a time when you failed to meet a deadline. What were the repercussions ? What did you learn ?* (Relatez une situation où vous n'avez pas réussi à effectuer un travail dans les délais impartis. Quelles en ont été les répercussions ? Quels enseignements en avez-vous tirés ?)

47) *Tell me about a time when you had to make a decision, but didn't have all the information you needed.* (Relatez une situation où vous avez dû prendre une décision sans avoir tous les éléments pour le faire.)

48) *Tell me about a time when you tried to accomplish something and failed. Were you discouraged by this ? What did you do about it ?* (Relatez une situation où vous avez essayé d'accomplir quelque chose et avez échoué. Avez-vous été découragé ? Comment avez-vous réagi ?)

49) *Tell me about a time you had to handle multiple responsibilities. How did you organize the work you needed to do ?* (Relatez une situation où vous avez dû gérer de multiples responsabilités en même temps. Comment avez-vous planifié le travail que vous aviez à faire ?)

50) Tell me about yourself.
    Réponse possible :
    I began developing skills relevant to ... when I had an internship with ... . Then I worked as a ... for ... years. In that role, I succeeded in ... by ... . My competence and my dedication were rewarded by ... promotions. I am currently ... (J'ai commencé à développer des compétences dans le domaine de ... quand j'ai fait un stage chez ... . Ensuite j'ai travaillé en tant que ... pendant ... ans. Dans ces fonctions, j'ai réussi à ... grâce à ... Ma compétence et mon dévouement ont été récompensés par ... promotions. Actuellement, je ...)
    Remarque : Veillez à faire une réponse brève, centrée sur les prérequis du poste que vous convoitez, et gardez vos « cartes maîtresses » pour la suite de l'entretien.

51) *Tell of a time when your active listening skills really paid off for you - maybe a time when other people missed the idea being expressed.* (Relatez une situation où votre capacité d'écoute a payé, et où les autres n'avaient peut-être pas compris l'idée exprimée.)

52) *Think about a difficult boss, professor or other person. What made him or her difficult ? How did you successfully interact with this person ?* (Évoquez un patron, un professeur ou une autre personne difficile à vivre. Qu'est-ce qui rendait cette personne pénible ? Comment avez-vous réussi à communiquer de façon satisfaisante avec cette personne ?)

53) *Think about a time when you experienced difficulties in a group situation. How did you handle it ?* (Relatez une situation où vous avez été confronté à des difficultés au sein d'un groupe. Comment avez-vous géré cette situation ?)

54) *We can sometimes identify a small problem and fix it before it becomes a major problem. Give an example of how you have done this.* (Parfois, on peut identifier un petit problème et le régler avant qu'il devienne grave. Relatez une situation où vous avez agi ainsi.)

55) *What do you do when your schedule is suddenly interrupted ? Give an example.* (Que faites-vous quand l'emploi du temps que vous vous êtes fixé est soudain interrompu ? Donnez un exemple.)

56) *What do you think is the most difficult thing about being a manager ?* (D'après vous, en quoi réside la difficulté d'être cadre dirigeant ?)

57) *What is more important to you : the money or the work ?* (Qu'est-ce qui a le plus d'importance pour vous : l'argent ou le travail ?)
Réponse possible :
Of course money always matters, but the work is still more important. (Bien sûr, l'argent a de l'importance, mais l'intérêt du travail est tout de même plus important.)

58) *What has been your experience in giving presentations ? What has been your most successful experience in speech making ?* (Décrivez votre expérience des présentations orales. Quel a été votre discours le plus réussi ?)

59) *What has been your most rewarding accomplishment ?* (Citez la plus gratifiante de vos réussites.)

60) *What influenced you to choose this career ?* (Qu'est-ce qui vous a influencé à choisir cette carrière ?)

61) *What is the most significant contribution you made to the company during your past job or internship ?* (Qu'avez-vous apporté de vraiment significatif à l'entreprise dans le cadre de votre dernier emploi ou stage ?)

62) *What kind of people do you find it difficult to work with ? How have you worked successfully with this difficult type of person ?* (Avec quel genre de personnes trouvez-vous difficile de travailler ? Comment réussissez-vous malgré tout à travailler avec ces personnes ?)

63) *What kind of people do you like to work with ?* (Avec quel genre de personnes aimez-vous travailler ?)

64) *What kind of people would you refuse to work with ?* (Avec quel genre de personnes refuseriez-vous de travailler ?)
Réponse possible :
I would never work with people whose behaviour would include disloyalty to the company, dishonesty or violence. (Je ne travaillerais jamais avec des personnes dont le comportement serait déloyal vis-à-vis de l'entreprise, malhonnête ou violent.)

65) *What kind of work would you refuse to do ?* (Quel genre de travail refuseriez-vous de faire ?)
Réponse possible :
I wouldn't do anything that would run contrary to my moral values and I wouldn't do anything that could harm the company. (Je ne ferais rien qui soit contraire à mes valeurs morales et je ne ferais rien qui puisse nuire à l'entreprise.)

66) *What motivates you to put forth your greatest effort ?* (Qu'est-ce qui vous motive à faire de votre mieux ?)
Réponse possible :
I like to accomplish goals and feel as if I'm contributing to something « larger than myself ». I also need to feel appreciated by my colleagues and my boss. (J'aime atteindre des buts et avoir l'impression d'apporter ma pierre à l'édifice. J'ai également besoin de me sentir apprécié par mes collègues et mon chef.)
Voir également chap. 4, exemple 1, p. 80.

67) *What personal weakness has caused you the greatest difficulty in school or on the job ?* (Lequel de vos défauts vous a causé le plus de problèmes durant vos études ou au travail ?)

68) What *position do you prefer on a team working on a project ?* (Quel poste préférez-vous occuper dans une équipe qui travaille sur un projet ?)

69) *What qualities do you look for in a boss ?* (Quelles qualités recherchez-vous chez un patron ?)
Réponse possible :
First of all, I value « open book » management. I disapprove of the companies where management assumes that the less employees know, the better. I need a supervisor that makes me knowledgeable about how my job fits into the global plan for the company.
Second, I like to work for a supervisor who grants me enough autonomy to perform my job to the best of my abilities. Also, I like to get constructive criticism so that I can improve myself and the quality of my work. Praise is also very important to me : I consider it the best way to increase employee morale and productivity. (D'abord, j'apprécie le management « ouvert ». Je n'approuve pas les entreprises où la direction part du principe que moins les salariés en savent, mieux c'est. J'ai besoin d'un chef qui me renseigne sur la façon dont mon travail s'intègre dans le projet global de l'entreprise. Deuxièmement, j'aime travailler pour un chef qui m'accorde assez d'autonomie pour que j'effectue mon travail du mieux que je le peux. Ensuite, j'aime recevoir des critiques constructives pour m'améliorer et améliorer la qualité de mon travail. Les compliments sont aussi très importants pour moi : je considère qu'ils constituent le meilleur moyen de stimuler le moral et la productivité d'un salarié.)

70) *What steps do you follow to study a problem before making a decision ?* (Quelles étapes mettez-vous en œuvre pour étudier un problème avant de prendre une décision ?)

71) *What things make a good team member ?* (Quelles qualités possède un bon coéquipier ?)

72) *What was the best decision you ever made ?* (Quelle est la meilleure décision que vous avez prise ?)

73) *When have you had to demonstrate outstanding communication skills ?* (Quand avez-vous dû faire preuve d'une aptitude à la communication exceptionnelle ?)

74) *Which do you prefer, large or small companies ?* (Que préférez-vous, les grandes ou les petites entreprises ?)

VI. Questions atypiques (off-the-wall questions)

Comme nous l'avons dit au chapitre 5, certaines questions sont formulées pour essayer de vous déstabiliser ou pour évaluer votre bon sens. Vous verrez dans certains exemples traités ci-après qu'il ne faut pas toujours obéir aveuglément aux injonctions du recruteur.

Le cas des questions « illégales » sur vos origines, votre santé ou votre situation familiale est plus délicat. Refuser d'y répondre, même si c'est légitime, peut indisposer votre interlocuteur. Essayez d'y répondre sans donner de détails, contournez poliment la question ou répondez au mieux de vos intérêts s'il s'agit par exemple de votre état de santé. L'essentiel des questions que la législation américaine interdit de poser sont listées dans le chapitre 7.

Dans le cadre d'un recrutement à un premier poste qui requiert des qualités de négociateur, sachez également qu'il est fréquent d'utiliser la technique *« sell a widget »* (vendez-moi un truc) : le recruteur vous prête sa montre, son téléphone portable ou sa calculatrice et vous demande de lui faire le *pitch*...

1) *« AZERTY » is that a European name ?* (« AZERTY », c'est un nom européen ?)
2) *Are you planning to have a family ?* (Avez-vous l'intention de fonder une famille ?)
3) *Do you check voicemail and email when on vacation ?* (Est-ce que vous interrogez votre répondeur et que vous lisez vos e-mails pendant les vacances ?)
4) *Do you have any blind spots ?* (Y a-t-il des choses qui vous échappent ?)
5) *Do you mind if I ask you a personal question – why aren't you married ?* (Vous permettez que je vous pose une question personnelle : pourquoi n'êtes-vous pas marié(e) ?)
6) *Do you think I should lose weight ?* (Pensez-vous que je devrais perdre du poids ?)
   Réponse possible :
   That's something for you and your doctor to consider. (C'est à vous et à votre médecin de le dire.)
7) *Have you ever missed work as a result of stress ?* (Avez-vous déjà manqué le travail à cause du stress ?)
8) *How are cornflakes made ?* (Comment sont fabriqués les cornflakes ?)
9) *How do I rate as an interviewer ?* (Comment me trouvez-vous en tant que recruteur ?)
10) *How many cars are there in the USA ?* (Combien y a-t-il de voitures aux États-Unis ?)
    Réponse possible :
    There are about 300 million Americans, and if you suppose that everyone over 18 drives, namely 75 % of the population, that is 225 million people. Among those people, some are

disabled and can't drive but I know that in the US, there are actually more cars than there are people to drive them, so I would say there are more than 225 million cars. (Il y a environ 300 millions d'Américains et à supposer que toutes les personnes majeures conduisent, à savoir 75 % de la population, cela représente 225 millions de personnes. Parmi ces personnes certaines sont handicapées et ne peuvent pas conduire mais je sais qu'aux États-Unis, il y a en fait plus de voitures que de conducteurs donc je dirais qu'il y a plus de 225 millions de voitures.)

Remarque : 243 023 485 véhicules particuliers ont été recensés aux États-Unis en 2006.

11) *If I gave you $10,000 what would you spend it on ?* (Si je vous donnais 10 000 $, comment les dépenseriez-vous ?)

12) *If you could be a film star, who would you choose to be ? Why ?* (Si vous pouviez être une star de cinéma, qui choisiriez-vous d'être ?)

13) *If you had enough money to retire right now, would you ?* (Si vous aviez assez d'argent pour prendre votre retraite maintenant, le feriez-vous ?)

14) *If you had six months ahead with no obligations and no financial constraints, what would you do ?* (Si vous aviez six mois devant vous à vivre sans obligations ni contraintes financières, que feriez-vous ?)

15) *If you were a car, what would you be, and why ?* (Si vous étiez une voiture, laquelle seriez-vous et pourquoi ?)

16) *If you were a vegetable, what would you be, and why ?* (Si vous étiez un légume, lequel seriez-vous et pourquoi ?)

17) *If you were an animal, what would you be, and why ?* (Si vous étiez un animal, lequel seriez-vous et pourquoi ?)

18) *If you were Chancellor, what would you do to decrease unemployment ?* (Si vous étiez ministre des Finances, que feriez-vous pour diminuer le chômage ?)

19) *If you were me, knowing what you know about your qualifications for this position, what would be your greatest concern ?* (Si vous étiez à ma place, sachant ce que vous savez de vos qualifications pour ce poste, quelle serait votre préoccupation majeure ?)

20) *I'm not sure you're really suitable for this job.* (Je ne suis pas sûr que vous conveniez réellement pour le poste.)

21) *Tell me about cultural differences between France and Great Britain.* (Parlez-moi des différences culturelles entre la France et la Grande-Bretagne.)

22) *Tell me about cultural differences between France and the US.* (Parlez-moi des différences culturelles entre la France et les États-Unis.)

23) *Tell me a story.* (Racontez-moi une histoire.)
Réponse possible :
One day, a stroller came across three bricklayers. He asked the first bricklayer what he was doing.
« Laying bricks », he said.

The stroller asked the second what he was doing.
« Making a brick wall », he said.
He asked the third bricklayer.
« Building a cathedral », he said.
(Un jour, un promeneur rencontra trois maçons. Il demanda au premier maçon ce qu'il faisait.
« Je pose des briques », répondit-il.
Le promeneur demanda au second maçon ce qu'il faisait.
« Je fais un mur de briques », répondit-il.
Il interrogea le troisième maçon, qui répondit :
« Je bâtis une cathédrale. »)
Remarque : Vous pouvez choisir une courte parabole de ce type qui reflète votre philosophie du travail ou répondre en relatant une anecdote S-A-R significative (voir chap. 5, § V, p. 91) que vous n'avez pas encore utilisée au cours de l'entretien.

24) *Tell me something funny or unusual about yourself.* (Racontez-moi quelque chose de drôle ou d'inattendu à votre sujet.)
Remarque : Si vous ne disposez pas d'anecdote S-A-R qui corresponde à cette question, mieux vaut demander des éclaircissements (*Would you mind telling me why you've asked ?* Cela vous ennuierait-il de me dire pourquoi vous me demandez cela ?) plutôt que de raconter que vous êtes tombé dans l'escalier ou que vous êtes allergique aux betteraves rouges...

25) *What is your philosophy of life ?* (Quelle est votre philosophie de la vie ?)
Réponse possible :
I am inclined to show an unselfish concern for the welfare of others, whether they be family, friends, customers or co-workers. It's in my nature : I do it without any ulterior motive, without expecting retribution. Still, I often get rewarded because people think they owe me one even when I have forgotten that I helped them. I like the idea of a virtuous circle. But don't misunderstand me : I'm not a pushover ! (J'ai tendance à être altruiste et à me soucier du bien-être des autres, qu'il s'agisse de famille, d'amis, de clients ou des collègues. C'est dans ma nature : je le fais sans calcul, sans attendre de retour. Pourtant, je suis souvent récompensé car les gens pensent qu'ils me doivent quelque chose même quand j'ai oublié que je les ai aidés. J'aime cette idée de cercle vertueux. Mais ne vous méprenez pas sur mes paroles : je ne suis pas un pigeon !)

26) *What would you say if I told you your presentation today was terrible ?* (Si je vous disais que votre prestation d'aujourd'hui est très mauvaise, que me répondriez-vous ?)
Réponse possible :
Well, I'd be quite surprised and rather sad since getting this job is very important to me. May I ask you, what parts of my presentation were not up to your standards ? If you could pinpoint these areas to me, maybe I could go over them again and clear up any misunderstandings that might exist. (Eh bien, je serais plutôt surpris et peiné puisqu'il est très important pour moi d'obtenir ce poste. Puis-je vous demander quelles parties de ma pré-

sentation ne correspondaient pas à vos attentes ? Si vous pouviez me préciser ces domaines, peut-être que je pourrais y revenir et dissiper les malentendus éventuels.)

27) *When do you think it is justifiable to break company policy ?* (Quand pensez-vous qu'il est légitime d'enfreindre des règles édictées par l'entreprise ?)
Réponse possible :
It is never justifiable to break company policy since its purpose is to enable employees to be consistent and fair in the way they deal with customers, suppliers, co-workers and so on. On the other hand, if I found company policy genuinely unfair in particular circumstances, I would discuss that with my boss, on the grounds that altering company policy might be justified. (Il n'est jamais légitime d'enfreindre les règles de l'entreprise puisqu'elles sont censées permettre aux salariés d'être logiques et équitables dans leur façon de gérer les clients, les fournisseurs, les collègues, etc. Par contre, si je trouvais la politique de l'entreprise foncièrement injuste dans des circonstances bien précises, j'en discuterais avec mon patron dans la mesure où une modification des règles pourrait se justifier.)

28) *Would you say that you're generally healthy ?* (Considérez-vous que vous êtes globalement en bonne santé ?)
Réponse possible :
Yes I am and I feel lucky to have such a high energy level. (Oui, et je crois que j'ai de la chance d'avoir autant d'énergie.)

VII. Exemples de questions interdites en France et aux États-Unis

1) *Are you a French/US citizen ?* (Avez-vous la nationalité française/américaine ?)

2) *Are you living with anyone ?* (Vivez-vous avec quelqu'un ?)

3) *Are you married/engaged ?* (Êtes-vous marié/fiancé ?)

4) *Been divorced long ?* (Vous êtes divorcé depuis longtemps ?)

5) *Do you have kids ?* (Avez-vous des enfants ?)

6) *Do you own or rent ?* (Êtes-vous locataire ou propriétaire ?)

7) *Have you ever been arrested ?* (Avez-vous déjà été arrêté ?)

8) *How old are you ?* (Quel âge avez-vous ?)

9) *How old are your children ?* (Quel âge ont vos enfants ?)

10) *Planning on having more children ?* (Vous comptez avoir d'autres enfants ?)

11) *What kind of day care arrangements can you make if we give you this job ?* (Quel mode de garde allez-vous adopter pour vos enfants si vous obtenez ce poste ?)

Les questions concernant la religion, l'orientation sexuelle, les opinions politiques et le handicap sont également proscrites. Avant de candidater à un poste, renseignez-vous sur la législation en vigueur en fonction du pays concerné car certaines mentions peuvent également être exclues du CV (âge, situation familiale, etc.).

Il est toujours délicat de refuser sèchement de répondre à ce genre de questions. Si vous pensez que votre réponse peut vous porter préjudice, dites :

« *How does age / marital status / being a mother / religion... relate to the ability to do this job ?* » (En quoi l'âge / la situation familiale / le fait d'être mère / la religion... a-t-il un rapport avec la capacité à exercer ce travail ?). Selon toute probabilité, le recruteur renoncera ensuite à vous poser des questions illégales.

7

La fin de l'entretien

I. *Les questions à poser au(x) recruteur(s)*

Il faut absolument poser des questions au recruteur quand il vous y invite. Ces questions auront pu être suscitées par le contenu de l'entretien qui a précédé, mais voici une check-list de points qu'il est intéressant de connaître également.

1) *How are employees' suggestions handled ?* (Comment sont gérées les suggestions de vos employés ?)

2) *How does one advance in the company ?* (Comment gravit-on les échelons de votre entreprise ?)

3) *How many people work in this department ?* (Combien de personnes travaillent dans ce service ?)

4) *How much travel is expected ?* (Y a-t-il beaucoup de déplacements à effectuer ?)

5) *How would you describe a typical day/week in this position ?* (Comment décririez-vous une journée/semaine type à ce poste ?)

6) *Is this a new position ? If not, what did the previous employee go on to do ?* (Est-ce une création de poste ? Si ce n'est pas le cas, que fait à présent le salarié qui l'occupait ?)

7) *What are the chances of promotion in this position ?* (Quelles sont les perspectives de promotion à ce poste ?)

8) *What are the immediate and medium-term demands of the job ?* (Quelles sont les exigences du poste dans l'immédiat et à moyen terme ?)

9) *What do you expect me to do in the first 6 months ?* (Qu'attendez-vous de moi dans les six premiers mois ?)

10) *What does the company do to support its employees in feeling satisfied and fulfilled in their work ?* (Que fait l'entreprise pour aider ses salariés à se sentir épanouis dans leur travail ?)

11) *What is the company's management style ?* (Quel est le style de management de l'entreprise ?)

12) *What training do you provide ?* (Quel type de formation donnez-vous aux salariés ?)

13) *What will be my responsibilities ?* (Quelles seront mes responsabilités ?)

14) *When will you decide on the appointment ?* (Quand déciderez-vous du choix du candidat ?)

15) *What are your expansion plans ?* (Quels sont vos projets de développement ?)

16) *Where will I fit into the overall organisational structure ?* (Où me situerai-je dans l'organigramme ?)

17) *Where would I be located ? Is relocation a possibility ?* (Où serais-je basé ? Y a-t-il une possibilité de délocalisation du poste ?)

18) *Who will I report to ? What is his/her management style ? Where does he/she fit in the structure ?* (Qui sera mon supérieur hiérarchique ? Quel est son style de management ? Quelle est sa place dans l'organigramme ?)

19) *Who will report to me ?* (Qui seront mes collaborateurs ?)

20) *What are the company's values ?* (Quelles sont les valeurs de l'entreprise ?)

II. Savoir tirer les enseignements d'un échec éventuel

Un échec n'est bien sûr jamais agréable à vivre. Cependant, il faut garder deux choses à l'esprit quand on n'est pas retenu à l'issue d'un entretien de sélection :

— D'abord, les statistiques prouvent qu'en général, les entreprises écartent au moins 80 % des candidatures reçues. Vous avez donc déjà eu le grand mérite d'être parmi les *happy few* retenus pour la phase finale du recrutement !

— D'autre part, en analysant *a posteriori* l'entretien que vous avez subi, vous pouvez forcément en tirer des enseignements pour l'avenir concernant les questions que vous n'aviez pas assez préparées, les éventuelles incohérences de votre projet professionnel, les techniques de recrutement qui vous déstabilisent, etc. Il ne faut d'ailleurs jamais hésiter à appeler le DRH que vous avez rencontré afin de lui demander s'il peut vous expliquer ce qui manquait à votre candidature. Si l'on se réfère une fois encore aux statistiques de recrutement concernant la phase de l'entretien, on constate qu'un candidat essuie au moins 5 échecs avant d'être embauché, ce qui prouve bien qu'on se bonifie d'entretien en entretien !

En conclusion, répétons-le : il ne faut pas hésiter à solliciter vos amis et votre famille pour effectuer des simulations d'entretiens. Bénéficier d'un regard extérieur est très important pour corriger des points mineurs comme une posture ou un tic de langage, mais également des lacunes plus graves comme un ton qui manque de conviction, des réponses évasives, etc.

8

Liste de sites à consulter
pour la préparation du CV et de l'entretien

Sites à consulter pour rédiger un CV ou une lettre de motivation :

http://www.bestsampleresume.com
http://www.cv-resume.org
http://www.jobbankusa.com/
http://www.quintcareers.com
http://jobsearch.about.com (Rubrique « CV/Resume/Letters : Samples »)
http://www.vault.com (Rubrique « Job Advice »)
http://www.alec.co.uk/cvtips
http://www.career.vt.edu/
http://europass.cedefop.europa.eu

Sites à consulter pour obtenir un descriptif de poste :

http://www.prospects.ac.uk
http://www.efinancialcareers.com (métiers de la finance)
http://www.vault.com (Rubrique « A day in the life »)
http://www.marketingjobs.com (permet de visionner des vidéos sur 350 métiers différents)

Sites à consulter pour accéder à des offres d'emploi réelles :

http://www.ritesite.com/JobDatabase
http://hotjobs.yahoo.com/job
http://www.reed.co.uk/Job
http://www.marketingjobs.com

Site à consulter pour accéder à des CV de candidats réels :

http://www.ritesite.com (Rubrique « Recruiters/Employers » puis sous-rubrique « Resumes Database »)

Sites à consulter pour obtenir des renseignements sur une entreprise :

http://www.google.com
http://wikipedia.org
http://www.boursorama.com
http://moneycentral.msn.com/home.asp

Sites à consulter pour obtenir des avis de stagiaires ou de salariés :

http://wetfeet.com
http://stagescritics.com

Sites à consulter pour effectuer des tests psychométriques :

http://www.psychometric-success.com/
http://www.kent.ac.uk/careers/psychotests.htm
http://www.crisp-mcs.com/index.cfm/hrsoftware/P3.Demo
http://www.teamtechnology.co.uk/mmdi-re/mmdi-re.htm

Sites à consulter pour écouter des documents sonores et améliorer sa prononciation :

http://www.anglaisfacile.com/cours-audios.php
http://www.voanews.com/specialenglish/index.cfm
http://www.ompersonal.com.ar (Rubrique TUTORIALES DE LISTENING : CONVERSACIONES)

Sites à consulter pour vérifier la prononciation d'un mot en anglais :

http://encarta.msn.com/encnet/features/dictionary/dictionaryhome.aspx
http://www.howjsay.com/

Sites à consulter pour parfaire sa préparation de l'entretien en anglais :

http://www.trustyguides.com/interviews1.html
http://www.quintcareers.com/interview_question_database/

MAJOR

ALLAL Patrick, GUILHEMSANS Marie-Françoise, SAILLARD Marie-Odile, FRAISSEIX Patrick –
Droit hospitalier
ALLMANG Cédrick – Petites leçons de géographie
ALVERGNE Christel, TAULELLE François – Du local à l'Europe, les nouvelles politiques
d'aménagement du territoire
BARÓ-VANELLY Marie-Christine, SALLES Marie-Christine – Exercices de thème grammatical
espagnol
BARON Sylvia – Les métiers de l'environnement
BEDEL Jean-Marc – Grammaire de l'espagnol moderne (4ᵉ éd. corrigée)
BERNARD Guillaume, DUQUESNOY Éric – Les forces politiques françaises. Rapports
Anteios 2007
BERTHELOT Ascension – Le thème espagnol aux concours
BIGEL Jean-Pierre – Mesure et démesure. Dissertations
BILEMDJIAN Sophie – Premières leçons sur *L'existentialisme est un humanisme* de Jean-Paul
Sartre
BONIFACE Pascal, NIVET Bastien – Petit dico européen
BOURGUIGNON Claire – La démarche didactique en anglais
BRABEC Maximilien – Sortir du « Me too ». La stratégie de compétition par la différence
BRUNEL Sylvie – Le Sud dans la nouvelle économie mondiale
CAREL Nicolas – Exercices de version anglaise (2ᵉ éd. mise à jour)
CASTELLANI Jean-Pierre, URUBAYEN Miguel – Décrypter la presse écrite espagnol
CERVELLON Christophe – Mesure et démesure
CERVELLON Christophe, LAUPIES Frédéric – La recherche du bonheur
CHAMPAGNE Pierre – L'organisation scolaire et universitaire
CHANCEL Claude, PIELBERG Éric-Charles – Le monde chinois dans le nouvel espace mondial
CHANCEL Claude, TELLENNE Cédric, PIELBERG Éric-Charles – L'Autre monde. Géopolitique
de l'Asie méridionale et orientale
CHAPRON Françoise, MORIZIO Claude – Préparer et réussir le CAPES externe de documen-
tation
CHAUVIN Andrée – Leçon littéraire sur *W ou le souvenir d'enfance* de Georges Perec
CHRAÏBI Sylvie, EL QASEM Fayza – Arabe, 1001 erreurs à éviter
CLÉMENT Jean-Pierre – España, ahora
COBAST Éric – Anthologie de culture générale
COBAST Éric – Essentielles de culture générale
COBAST Éric – Lexique de culture générale
COBAST Éric – Leçons particulières de culture générale (6ᵉ éd.)
COBAST Éric – Petites leçons de culture générale (6ᵉ éd.)
COBAST Éric – Les *Dieux antiques* de Stéphane Mallarmé

LAUPIES Frédéric – L'action. Premières leçons

LAUPIES Frédéric – Premières leçons de philosophie

LAUPIES Frédéric – La passion. Premières leçons

LAUPIES Frédéric (sous la direction de) – Dictionnaire de culture générale (2ᵉ éd. revue et augmentée)

LAUPIES Frédéric – *Gorgias* de Platon. Leçon philosophique

LAUPIES Frédéric – La croyance. Premières leçons

LE DIRAISON Serge, ZERNIK Éric – Le corps des philosophes

LEFEBVRE Maxime – Le jeu du droit et de la puissance. Précis de relations internationales (3ᵉ éd. mise à jour)

LE GUÉRINEL Pierre – Individualisme et crise des institutions. Manuel de culture générale

LE GUÉRINEL Pierre – Une société d'exclusion ? Manuel de culture générale

LEVEAU Jacques – L'aide-mémoire du germaniste

LEVEAU Jacques – L'oral d'allemand aux concours

MARCO Luc, BUI QUANG Hien – Petit dico d'économie et de management de la santé

MARÉCHAUX Pierre – Littérature latine. Manuel de poche

MAYEUR Arnaud – Les grands économistes contemporains

MAYEUR Arnaud – Choix collectifs et raison d'État. Macroéconomie

MULLER Évelyne, SCHMIDT Barbara – Traduction anglaise, maîtriser l'outil internet

NOUSCHI Marc – Temps forts du XXᵉ siècle

ORTEGA Olivier – La note de synthèse juridique à l'entrée à l'EFB, aux CRFPA et à l'ENM

POIZAT Jean-Claude – *La Métamorphose* de Kafka. Leçon littéraire

Prépasup – Guide de l'étudiant en droit

PRETESEILLE Stéphane et divers auteurs – Annales de mathématiques 2001. Voie économique

PRETESEILLE Stéphane et divers auteurs – Annales de mathématiques 2002. Voie scientifique

PRETESEILLE Stéphane et divers auteurs – Annales de mathématiques 2002. Voie économique

PROST Yannick – Petites leçons d'histoire contemporaine

QUESNEL Alain – Les mythes modernes. Actualité de la culture générale

REVARDEAUX François – Petite grammaire de l'italien

REVARDEAUX François – L'aide-mémoire de l'italianisant

RICOT Jacques – Leçon sur l'*Éthique à Nicomaque* d'Aristote

RICOT Jacques – Leçon sur la paix

RIUTORT Philippe – Précis de sociologie

ROTGÉ Wilfrid, MALAVIEILLE Michèle, MUTCH George – Exercices de thème grammatical anglais

ROBERT Richard – Les mouvements littéraires

ROBINET Jean-François – Le temps de la pensée

ROYER Pierre, GABBAY Anne, TREMOLET Vincent – Préparer et réussir le concours des IRA

SAÏD Laurent – Nécessaire et suffisant. Cours et exercices appliqués de mathématiques

SAINTE-LORETTE Patrick de, MARZÉ Jo – L'épreuve d'entretien aux concours (7ᵉ éd.)

SALOMON Renaud – Précis de droit commercial

SANTERRE Jean-Paul – Leçon littéraire sur *En attendant Godot* de Beckett

SANTERRE Jean-Paul – Dissertation sur *La Paix*

SANTERRE Jean-Paul – *Gargantua* de Rabelais. Leçon littéraire

S<small>CHARFEN</small> Herbert – Allemand, cinq cents fautes à éviter (4e éd. corrigée)

S<small>CHMIDT</small> Barbara, M<small>ULLER</small> Évelyne – Traduction anglaise : maîtriser l'outil Internet

S<small>EGUIN</small> André de – Le Mexique dans la nouvelle économie mondiale

S<small>ÉNAT</small> David, B<small>ONAN</small> Fabien – Préparer et réussir les concours de l'École nationale de la magistrature (3e éd. mise à jour)

S<small>ÉNAT</small> David, G<small>AYRAUD</small> Jean-François – Préparer et réussir les concours de commissaire de police et de lieutenant de police

S<small>ÉNAT</small> David, J<small>EANJEAN</small> Philippe – Préparer et réussir les concours de l'École nationale des greffes

T<small>ABET</small> Emmanuelle – Convaincre, persuader, délibérer

T<small>ARIN</small> René – Préparer et réussir le concours de conseiller principal d'éducation

T<small>EULON</small> Frédéric – L'État et la politique économique

T<small>EULON</small> Frédéric – Croissance, crises et développement (8e éd. mise à jour)

T<small>EULON</small> Frédéric – La nouvelle économie mondiale (5e éd. mise à jour)

T<small>EULON</small> Frédéric (sous la direction de) – Dictionnaire. Histoire, économie, finance, géographie (4e éd. refondue)

T<small>EULON</small> Frédéric – Initiation à la macro-économie

T<small>EULON</small> Frédéric – Initiation à la micro-économie (4e éd.)

T<small>OUCHARD</small> Patrice, B<small>ERMOND</small> Christine, C<small>ABANEL</small> Patrick, L<small>EFEBVRE</small> Maxime – Le siècle des excès de 1870 à nos jours (6e éd.)

T<small>RAN</small> V<small>AN</small> H<small>IEP</small>, C<small>OMBROUZE</small> Alain – Mathématiques. Formulaire (5e éd. revue et augmentée)

T<small>RAN</small> V<small>AN</small> H<small>IEP</small> – Les plus beaux problèmes de mathématiques. H<small>EC</small> 1re et 2e années

T<small>RAN</small> V<small>AN</small> H<small>IEP</small> – Analyse, 2

T<small>RAN</small> V<small>AN</small> H<small>IEP</small>, C<small>OMBROUZE</small> Alain – Mathématiques. Analyse et programmation. Cours et exercices

T<small>REMOLET</small> Vincent, A<small>LCAUD</small> David, G<small>ABBAY</small>-B<small>AUX</small> Anne – Réussir le concours d'attaché territorial

T<small>ROUVÉ</small> Alain – Réussir le résumé et la synthèse de textes aux concours (3e éd. corrigée)

V<small>ERPEAUX</small> Michel, L<small>EPAGNOT</small> Christian – Droit des collectivités territoriales

V<small>IELLARD</small> Stéphane – Lire les textes russes

Imprimé en France
par MD Impressions
73, avenue Ronsard, 41100 Vendôme
Mai 2008 — N° 54 409